# Raymond Smullyan

# Le livre qui rend fou

Traduit de l'américain
par Jérôme Marthon

DUNOD

Traduction autorisée de l'ouvrage publié en langue anglaise sous le titre "The lady
or the tiger ?" par Alfred A. Knopf, Inc. Copyright © 1982 par Raymond Smullyan.

# Sommaire

PREMIERE PARTIE : UNE PRINCESSE OU UN TIGRE ?　1
1. Des blagues neuves ou vieilles　3
2. Une princesse ou un tigre ?　11
3. L'asile du Docteur Goudron et du Professeur Plume　24
4. Un voyage en Transylvanie　37

DEUXIEME PARTIE : JEUX ET METAJEUX　49
5. L'Ile aux questions　50
6. L'Ile aux rêves　62
7. Des métajeux　71

TROISIEME PARTIE : LE MYSTERE DU COFFRE　79
8. Mystère à Monte-Carlo　80
9. Une machine à fabriquer des nombres　84
10. La loi de Craig　96
11. Les découvertes de Fergusson　110
12. Interlude : généralisons ! généralisons !　119
13. La combinaison gagnante　110

QUATRIEME PARTIE : SOLUBLE OU INSOLUBLE ?　127
14. La machine logique de Fergusson　128
15. Le démontrable et le vrai　137
16. Les machines qui parlent d'elles-mêmes　147
17. Les nombres immortels　157
18. La machine qui ne sera jamais construite　162
19. Le rêve de Leibniz　166

# PREMIERE PARTIE

# UNE PRINCESSE OU UN TIGRE?

# ◆ 1 ◆
# Des blagues, neuves ou vieilles.

Je voudrais commencer ce livre par une série de devinettes arithmétiques ou logiques ; certaines sont nouvelles et les autres bien connues.

## 1 - Combien ?

Je suppose que nous possédons, vous et moi, autant d'argent l'un que l'autre. Combien dois-je vous donner pour que vous ayez 10 F de plus que moi ? (les solutions sont à la fin de chaque chapitre.)

## 2 - Une énigme politique

Cent hommes politiques se réunissent pour constituer un nouveau parti. Chacun d'eux est soit un homme honnête, soit une franche canaille. Sachant que parmi eux :

(1) il y a au moins un homme honnête,

(2) si l'on en prend deux au hasard, il y en a toujours au moins un des deux qui est malhonnête,

pouvez-vous en déduire combien sont honnêtes et combien sont des canailles ?

## 3 - Du beaujolais nouveau
## dans une présentation qui ne l'est pas

Vous payez 20 F une bouteille de beaujolais. Le vin coûte 19 F de plus que la bouteille. Combien vaut la bouteille ?

## 4 - Quel est le bénéfice ?

Ce problème a ceci de curieux qu'il peut déclencher des bagarres. A chaque fois que j'ai vu deux personnes trouver des réponses différentes par des raisonnements différents, chacune était tellement persuadée d'avoir raison qu'elle était prête à employer les grands moyens pour faire triompher sa solution. Voici le problème :
Un libraire achète un livre 70 F, le vend 80 F, le rachète 90 F et le revend 100 F. Quel est son bénéfice ?

## 5 - Les minous et les toutous

Ce problème est facile à résoudre par l'algèbre, mais on peut s'en dispenser car il possède une solution reposant uniquement sur le bon sens. Inutile de dire qu'elle a ma préférence car elle est de loin la plus instructive.
Il faut 56 biscuits pour nourrir 10 animaux. Ces animaux sont des chats et des chiens. Un chien mange 6 biscuits et un chat n'en mange que 5. Parmi ces animaux, combien sont des chiens et combien sont des chats ?
Pour tout lecteur familier de l'algèbre la solution de ce problème est immédiate, mais on peut aussi le résoudre par élimination. En effet, le nombre de chats est compris entre 0 et 10 ; il suffit donc d'examiner un par un les 11 cas jusqu'à ce qu'on découvre le bon. Toutefois, si vous vous mettez à la place de celui qui nourrit les animaux, vous trouverez une solution beaucoup plus astucieuse. Même si vous connaissez déjà la réponse je vous conseille de découvrir cette solution à la fin du chapitre.

## 6 - Les gros oiseaux et les petits oiseaux

Voici un autre problème qu'on peut résoudre par l'algèbre ou le bon sens mais là encore, je préfère le bon sens.

Un marchand d'oiseaux vend des gros et des petits oiseaux. Chacun des gros côute deux fois le prix d'un petit. Une cliente achète cinq gros oiseaux et trois petits. Si, au lieu de cela, elle avait acheté trois gros oiseaux et cinq petits, elle aurait économisé 200 F. Quel est le prix de chaque oiseau ?

# 7 - Les inconvénients d'être étourdi

Voici une histoire vraie. Il est bien connu que dans tout groupe de 23 personnes la probabilité pour qu'il en existe deux parmi elles ayant leur anniversaire le même jour est supérieure à 50 %. Une année, j'ai donné un cours à l'Université dans lequel je faisais un peu de calcul des Probabilités. Un jour où j'expliquais aux étudiants qu'avec 30 personnes au lieu de 23 les chances deviennent très grandes qu'il existe deux personnes ayant leur anniversaire le même jour, j'ajoutai : « au contraire, pour vous qui n'êtes que 19, les chances sont très inférieures à 50 % ». A ces mots, un des étudiants demanda la parole et dit : « Malgré ce que vous dites je vous parie qu'il y a au moins deux personnes dans la classe qui ont leurs anniversaires le même jour ! » « Les probabilités étant largement en ma faveur il n'est pas honnête que j'accepte un tel pari », lui objectai-je.

« Ça ne fait rien », répliqua l'étudiant.

« Très bien », fis-je avec un faux air de résignation. Persuadé de lui donner une bonne leçon, j'entrepris de faire l'appel pour demander les dates de naissance, mais, arrivé vers la moitié de la classe, je m'arrêtai, et nous éclatâmes tous de rire devant ma sottise. Devinez-vous pourquoi ?

# 8 - La droite et la gauche

Pendant de nombreuses années les opinions politiques des électeurs d'un certain village n'ont jamais varié ; des habitants votaient systématiquement à gauche et les autres toujours à droite. Un jour cependant, un électeur de droite décida de passer à gauche et ce soir-là il y eut dans le village autant de voix à gauche qu'à droite. Au deuxième tour des élections le mécontent décida de repasser à droite, entraînant avec lui un électeur de gauche, et depuis ce jour le village compte deux fois plus d'électeurs de droite que de gauche. Combien le village a-t-il d'électeurs en tout ?

# 9 - Une affaire de rubans

Trois amis, A, B, et C étaient d'excellents logiciens, et chacun savait que les autres l'étaient. L'art du raisonnement n'avait pas de secret pour eux et ils trouvaient instantanément toutes les énigmes. Un jour, pour les mettre à l'épreuve, on leur montra 7 rubans : 2 rouges, 2 jaunes et 3 verts, puis on leur banda les yeux. Pendant qu'ils étaient ainsi on fixa un ruban sur chacun de leurs chapeaux, puis on cacha les quatre rubans restants. Ensuite, après les avoir débarrassés de leurs bandeaux, on leur demanda : « Pouvez-vous dire de façon certaine une couleur qui ne soit pas celle de votre ruban ? » D'abord A répondit non, puis B dit non à son tour.

Sans en savoir plus, pouvez-vous retrouver la couleur des rubans de A, B, C ?

# 10 - Pour ceux qui connaissent
# la marche des pièces aux échecs

J'aimerais attirer votre attention sur une variété fascinante de problèmes d'échecs qui, contrairement aux problèmes classiques du type : « Les Blancs jouent et gagnent en tant de coups », demandent d'analyser le passé de la partie. Dans ces problèmes la question est : « Comment a-t-on pu en arriver là ? »

Un soir, l'inspecteur Craig, de Scotland Yard[1] dont la passion pour ce genre de problèmes valait bien celle de Sherlock Holmes[2] entraîna un ami au Club d'échecs. Ils trouvèrent une partie abandonnée. Le compagnon de Craig remarqua :

« Ceux qui ont joué cette partie n'ont pas l'air de connaître les règles, car il est impossible d'arriver à cette position sans les violer ! »

« Pourquoi ? » demanda Craig.

---

1. Craig est un des personnages de mon livre : « Quel est le titre de ce livre ? » (Dunod).
2. Mon autre livre intitulé « Mystères sur échiquier avec Sherlock Holmes » (Dunod), contient de nombreux problèmes de ce genre.

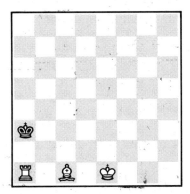

C'est facile, répondit l'autre, les Noirs sont mis en échec à la fois par la tour blanche et par le fou blanc. Comment les Blancs ont-ils pu administrer un échec pareil ? Si c'est la tour qu'ils ont déplacée en dernier, le roi noir était déjà mis en en échec par le fou, et si c'est le fou, le roi était déjà mis en échec par la tour. Ça montre bien qu'on ne peut pas atteindre cette position ! »

Craig réfléchit un moment avant de répondre : « Je ne suis pas de votre avis. Je reconnais que cette position est très originale, mais elle n'est pas en contradiction avec les règles. »

Il avait parfaitement raison ! En dépit des apparences la position peut être atteinte, et l'on peut même préciser quel a été le dernier coup des Blancs. Qu'ont-ils joué ?

## 🌺 SOLUTIONS 🌺

**1 .** On répond souvent 10 F, mais c'est une erreur. Supposez par exemple que nous ayons chacun 50 F. Si je vous donnais 10 F, vous en auriez 60 et moi 40, soit 20 F de plus pour vous que pour moi, au lieu des 10 F demandés.

La bonne réponse est 5 F.

**2 .** Le plus souvent, on répond que 50 politiciens sont honnêtes et 50 sont des canailles. Parfois aussi, 51 sont honnêtes et 49 ne le sont pas. Ces deux réponses sont également fausses ; voyons la bonne.

On sait qu'un homme politique au moins est honnête ; mettons-en un de côté, qu'on appellera Francis pour fixer les idées. Prenons n'importe quel politicien parmi les 99 restants, disons Jean. D'après la seconde assertion, entre Francis et Jean, il y a au moins une canaille. Comme Francis est honnête, c'est Jean la canaille, ce qui signifie, puisque Jean est n'importe lequel parmi les 99 hommes politiques restants que les 99 sont tous malhonnêtes. Il y a donc 99 canailles et un seul homme honnête.

On peut en donner une autre preuve. L'affirmation selon laquelle toute paire d'hommes politiques contient au moins une canaille signifie qu'il n'y en a jamais deux d'honnêtes, autrement dit, que parmi les 100, il y en a tout au plus un qui soit honnête. Comme il y en a effectivement un qui est honnête, d'après le premier renseignement, il y a exactement un politicien honnête.

Laquelle de ces deux démonstrations préférez-vous ?

**3 .** On répond souvent 1 F, mais c'est faux. Si la bouteille valait vraiment 1 F, le vin, qui coûte 19 F de plus, coûterait 20 F, et il faudrait payer 21 F pour emporter la bouteille de beaujolais, alors que vous ne payez que 20 F. La bonne réponse est 0,50 F pour la bouteille et 19,50 F pour le vin, ce qui met bien à 20 F la bouteille de beaujolais.

**4 .** Faisons un premier raisonnement. Après avoir acheté 70 F le livre et l'avoir vendu 80 F, le libraire a gagné 10 F. Ensuite, en le rachetant 90 F il a perdu 10 F. A ce moment son bénéfice est nul. Ensuite, en revendant le livre 100 F, il gagne à nouveau 10 F, et au total son bénéfice est de 10 F.

Voici un autre raisonnement qui montre au contraire que le libraire n'a ni gagné ni perdu. Quand il revend 80 F le livre qu'il a payé 70 F, il gagne 10 F, mais il perd 20 F en rachetant 90 F ce qu'il avait payé 70, et par conséquent, à ce moment des opérations, il a un déficit de 10 F. En revendant le livre 100 F il rattrape ce déficit et met ses comptes en équilibre.

En fait, ces deux raisonnements sont faux, car le libraire a gagné 20 F. On peut le voir de plusieurs façons. Dans la première on commence par remarquer qu'il a gagné 10 F en revendant 80 F un livre acheté 70 F, puis on dit : « Supposons que le livre racheté 90 F pour être revendu 100 F ne soit pas le même que celui acheté 70 F pour être revendu 80 F. » D'un point de vue comptable est-ce que ça change quelque chose ? Bien sûr que non ! Le libraire gagne encore 10 F dans la seconde opération et au total son bénéfice est de 20 F.

Il y a une démonstration plus simple encore. Le libraire a dépensé : 70 + 90 = 160 F, et il a encaissé : 80 + 100 = 180 F, ce qui fait un bénéfice de 20 F.

Pour ceux qui ne sont toujours pas convaincus, imaginons que le libraire avait 1 000 F le matin et qu'il n'a rien acheté ou vendu ce jour-là à part le fameux livre. Alors, combien a-t-il le soir dans sa caisse ? Après avoir acheté le livre 70 F il lui reste 930 F, puis, quand il le revend 80 F il possède 1 010 F. Ensuite, quand il rachète le livre 90 F, sa caisse ne contient plus que 920 F, et, puisqu'il le revend 100 F, il a 1 020 F à la fin de la journée, ce qui fait un bénéfice de 20 F.

Etes-vous convaincu à présent ?

**5 .** Voici ma solution. On commence par donner 5 biscuits à chacun des 10 animaux. Il reste 6 biscuits à distribuer, mais les chats ont déjà eu leur part ! Les 6 biscuits restants sont pour les chiens, or chacun doit recevoir encore un biscuit ; il y a donc 6 chiens et 4 chats.

On peut vérifier : 6 chiens mangeant chacun 6 biscuits, cela fait 36 biscuits, et 4 chats mangeant chacun 5 biscuits, cela fait 20 biscuits, soit un total de 56 biscuits, comme il se doit !

**6 .** Puisque chaque gros oiseau coûte le prix de deux petits, 5 gros oiseaux coûtent le prix de 10 petits. Il en résulte que 5 gros oiseaux plus 3 petits coûtent le prix de 13 petits. D'autre part, 3 gros oiseaux plus 5 petits coûtent le prix de 11 petits. Ainsi, la différence entre l'achat de 5 gros oiseaux plus 3 petits, et l'achat de 3 gros oiseaux plus de 5 petits est le prix de 2 petits oiseaux. Comme cette différence est de 200 F, chaque petit oiseau coûte 100 F et chaque gros 200 F. Vérifions : pour 5 gros oiseaux et 3 petits la cliente paye 1300 F ; au contraire, pour l'achat de 3 gros oiseaux et 5 petits elle paye 1100 F, soit 200 F de moins.

**7 .** A l'instant où j'ai accepté le pari, j'avais oublié qu'il y avait des jumeaux dans la classe !

**8 .** Il y a 12 électeurs et au début de l'histoire 7 votent à droite et 5 à gauche.

**9 .** Le seul ruban dont on puisse déterminer la couleur est celui de C. En effet, si le ruban de C était rouge, B saurait que le sien n'est pas rouge, car il se dirait : « Si mon ruban est rouge, A voyant deux

9

rubans rouges devrait répondre que le sien ne l'est pas ; comme il répond non, c'est que le mien n'est pas rouge. » Donc, si le ruban de C est rouge, B sait que le sien ne l'est pas ; comme il répond non, c'est que le ruban de C n'est pas rouge. De façon analogue, en remplaçant rouge par jaune, on démontre que le ruban de C n'est pas jaune ; par conséquent il est vert.

**10 .** On ne sait pas d'où sont partis les Blancs. Il semble, à première vue, que ce soit du bas de l'échiquier mais, si c'était le cas, la position serait impossible ! En vérité, ils sont partis du haut de l'échiquier, et juste avant le dernier coup la position était la suivante :

Le point, sur la case en bas à gauche, représente une pièce noire (une reine, une tour, un fou ou un cavalier, on ne sait pas quoi au juste). Le pion blanc a pris cette pièce noire et a été promu en une tour blanche, ce qui a donné la position actuelle. Bien sûr, on pourrait se demander pourquoi les Blancs ont échangé leur pion contre une tour plutôt qu'une reine, car il est vrai qu'un tel coup est hautement improbable ; mais il n'y a pas d'autre coup possible ! Comme Sherlock Holmes le faisait remarquer un jour à Watson : « Quand on a éliminé tout ce qui est impossible, ce qui reste, aussi improbable soit-il, ne peut être que la vérité. »

# 2
# Une princesse
# ou
# un tigre?

Peut-être connaissez-vous déjà l'histoire de la princesse ou du tigre ? Un prisonnier doit choisir entre deux cellules dont l'une cache une princesse et l'autre un tigre. S'il choisit la princesse, il doit l'épouser, mais s'il tombe sur le tigre, il est dévoré.

En lisant cette histoire le roi d'une contrée lointaine eut une idée. « C'est exactement ce qu'il me faut pour en finir avec les prisonniers, confia-t-il le lendemain à son premier ministre. Mais je ne veux pas que leur choix soit uniquement dû au hasard, car ça ne serait pas drôle ; c'est pourquoi je vais afficher des inscriptions sur les portes des cellules. Ceux qui se montreront astucieux et qui auront l'esprit assez logique pour en tirer parti seront graciés et par dessus le marché je leur ferai cadeau de la princesse ! »

« L'idée de sa majesté est excellente » approuva le premier ministre en s'inclinant.


### LE PREMIER JOUR

Le premier jour le roi organisa trois épreuves. Comme il l'expliqua aux prisonniers, chacune des deux cellules contenait un tigre ou une princesse, et toutes les combinaisons étaient possibles ; il pouvait y avoir deux tigres, deux princesses, ou un tigre et une princesse.

# 1 - La première épreuve

« Qu'est-ce que je deviens s'il y a un tigre dans chaque cellule ? » demanda le prisonnier.

« Je préfère ne pas y penser », répondit le roi avec un soupir de compassion.

« Et s'il y a une princesse dans chaque cellule, qu'est-ce que vous me ferez ? » ajouta le prisonnier.

« Voilà qui serait surprenant, s'exclama le roi, mais si cela se produisait je vous devine assez grand pour trouver ce qu'il faut faire ! »

« S'il y a une princesse dans une cellule et un tigre dans l'autre, qu'est-ce qui m'arrivera ? » poursuivit le prisonnier.

« Tout dépend de la porte que vous aurez choisie » fit rapidement le roi qui commençait à s'impatienter.

« Mais comment choisir ? » insista le malheureux prisonnier.

Pour toute réponse le roi l'entraîna vers les deux cellules et lui montra les affiches qu'il avait lui-même collées sur les portes.

— 1 —
Il y a une princesse dans cette cellule et un tigre dans l'autre

— 2 —
Il y a une princesse dans une cellule et il y a un tigre dans une cellule

« Dois-je faire confiance à ce qui est écrit ? » questionna encore le prisonnier.

« Une des affiches dit la vérité, promit le roi, et l'autre ment. »

A la place du prisonnier, quelle cellule auriez-vous choisie ?
(En admettant bien sûr, que vos goûts vous font préférer la princesse à un tigre).

# 2 - La seconde épreuve

Le prisonnier fit le bon choix, il eut la vie sauve et partit filer le parfait amour avec la princesse. Le roi changea les affiches, fit vider les cellules, les fit remplir à nouveau, et demanda qu'on lui amène un nouveau prisonnier. On pouvait lire sur les portes :

— 1 —
*Une au moins des deux cellules contient une princesse*

— 2 —
*Il y a un tigre dans l'autre cellule*

« Dois-je croire ces affiches ? » murmura le prisonnier en tremblant.

« Elles sont sincères toutes les deux, ou bien elles sont fausses toutes les deux », affirma le roi.

Où devait aller le prisonnier ?

# 3 - La troisième épreuve

Pour cette épreuve, encore une fois les affiches disaient toutes les deux la vérité ou bien mentaient toutes les deux.

— 1 —
*Il y a un tigre dans cette cellule ou il y a une princesse dans l'autre*

— 2 —
*Il y a une princesse dans l'autre cellule*

Que contenait la première cellule ? Et la seconde ?

13

# LE DEUXIEME JOUR

« Hier tout a été de travers ! criait le roi furieux. Les trois prisonniers ont deviné juste, et j'ai été obligé de les relâcher, mais aujourd'hui ça ne va pas se passer comme ça, j'ai fait venir cinq prisonniers, et ils ne vont pas s'amuser ! »

« Comme c'est merveilleusement dit », approuva le premier ministre en s'inclinant.

« Voilà ce que je vais faire, expliqua le roi. L'affiche que je collerai sur la cellule 1 dira la vérité quand il y aura une princesse dans cette cellule et mentira quand ce sera un tigre. Pour la cellule 2 ce sera exactement le contraire ; quand il y aura une princesse l'affiche mentira et quand ce sera un tigre elle dira la vérité. Une fois encore chaque cellule pourra cacher indifféremment un tigre ou une princesse.

## 4 - La quatrième épreuve

Après avoir expliqué ces règles au prisonnier le roi l'emmena voir les affiches.

Que devait faire le prisonnier ?

## 5 - La cinquième épreuve

Les mêmes règles étaient en vigueur, mais les affiches disaient :

*— 1 —*

*Une cellule au moins*

*contient une princesse*

*— 2 —*

*L'autre cellule contient*

*une princesse*

Qu'auriez-vous fait à la place du prisonnier ?

## 6 - La sixième épreuve

Le roi était particulièrement fier de cette épreuve et de la suivante aussi. Voici ses affiches :

*— 1 —*

*Choisis n'importe*
*quelle cellule, ça n'a*
*pas d'importance !*

*— 2 —*

*Il y a une princesse dans*
*l'autre cellule*

Que devait faire le prisonnier ?

# 7 - La septième épreuve

Voici les affiches :

_—1—_
_Choisis bien ta cellule_
_ça a de l'importance !_

_—2—_
_Tu ferais mieux_
_de choisir l'autre_
_cellule !_

Où devait aller le prisonnier ?

# 8 - La huitième épreuve

« Mais il n'y a rien sur les portes ! » s'exclama avec indignation le prisonnier.

« C'est vrai, reconnut le roi, je suis en retard et je n'ai pas eu le temps de coller les affiches. »

« Dans ces conditions je refuse de choisir » déclara le prisonnier d'un air boudeur.

« Mais si, mais si, fit le roi pour l'apaiser. D'ailleurs les voici »

_Les deux cellules_
_contiennent_
_des tigres_

_Cette_
_cellule_
_contient_
_un tigre_

« C'est bien beau, grogna le prisonnier, mais où les collez-vous ? »

Le roi réfléchit un moment et finit par répondre : « Je ne vais pas vous le dire car vous en savez assez pour vous débrouiller tout seul ». Il ajouta pourtant : « Je vous rappelle que l'affiche de la cellule 1 dit la vérité si cette cellule cache une princesse et qu'elle ment si la cellule renferme un tigre, alors que la règle est inversée pour l'autre cellule. » Quelle est la solution ?

# LE TROISIEME JOUR

« J'en ai assez, ça ne peut plus durer ! criait le roi en trépignant. Les cinq prisonniers d'hier ont eu la vie sauve, c'est inadmissible ! Oh, je sais ce que je vais faire car je me souviens qu'il y a une autre cellule à côté de celles qui m'ont servi jusqu'à présent. Je vais faire exprès de mettre une princesse dans une seule cellule et un tigre dans chacune des deux autres, on verra bien ce qu'on va voir ! »

« Toutes vos idées sont merveilleuses, majesté », approuva le premier ministre en se courbant jusqu'au sol.

« Bien que flatteuses pour mon auguste personne, vos appréciations tournent à la répétition », fit remarquer le roi.

« Comme c'est merveilleusement observé » répondit le ministre avec ferveur.

## 9 - La neuvième épreuve

Le troisième jour le roi fit comme il avait dit. Il demanda qu'on prépare les trois cellules et expliqua au prisonnier qu'une seule renfermait une princesse et qu'il avait fait mettre un tigre dans chacune des deux autres. Voici les affiches :

Le roi ajouta qu'une seule des trois affiches était sincère. Où était la princesse ?

# 10 - La dixième épreuve

Une fois encore il y avait une seule princesse et deux tigres. Le roi confia au prisonnier que l'affiche collée sur la porte de la princesse disait la vérité et qu'une moins des deux autres était fausse.
Voici les affiches :

Dans quelle cellule la princesse se trouvait-elle ?

# 11 - La onzième épreuve

Pour cette épreuve qu'il voulait plus compliquée, le roi expliqua qu'une des trois cellules contenait une princesse, une autre un tigre et enfin que la troisième était vide. L'affiche de la princesse disait la vérité, celle du tigre mentait, quant à celle de la cellule vide, il préférait ne rien dire. Voici les trois affiches :

Quand on saura que le prisonnier connaissait la princesse captive, et qu'il en était éperdument amoureux, on comprendra qu'il n'avait qu'un seul but, retrouver sa bien-aimée, et qu'il ne lui suffisait pas d'avoir la vie sauve, car, privé de sa chérie, l'existence lui paraissait sans intérêt.

Alors, où était cachée la princesse et où était le tigre ? Si vous trouvez, vous n'aurez pas de difficulté pour déterminer aussi quelle était la cellule vide.

# LE QUATRIEME JOUR

« C'est horrible, gémissait le roi, j'ai l'impression que mes pièges les plus compliqués ne sont que des pétards mouillés. Je n'arriverai jamais à me débarrasser de mes ennemis, ils sont bien trop malins. Il ne me reste plus qu'un seul prisonnier, mais je jure qu'il va avoir bien du plaisir ! »

## 12 - Un labyrinthe logique

Le roi employa les grands moyens. Au lieu de trois cellules, il en utilisa neuf, et il n'y cacha qu'une seule princesse. Toutes les autres étaient vides ou contenaient un tigre. Une fois encore le roi expliqua que l'affiche de la princesse disait vrai, et que les affiches des tigres mentaient ; pour les affiches des cellules vides il préférait ne rien dire. Voici les affiches :

- 1 -
La princesse est
dans une cellule
dont le numéro
est impair

- 2 -
Cette
cellule
est
vide

- 3 -
L'affiche 5 est vraie
ou l'affiche 7 est
fausse

-4-
L'affiche 1
est
fausse

-5-
L'affiche 2 ou
l'affiche 4 est
vraie

-6-
L'affiche 3
est fausse

-7-
La princesse n'est
pas dans la
cellule 1

-8-
Cette cellule contient
un tigre et la
cellule 9 est vide

-9-
Cette cellule
contient un tigre
et l'affiche 6
est fausse

Le prisonnier réfléchit un long moment et finalement il s'écria :
« Le problème est insoluble, vous n'êtes qu'un tricheur ! »
« Je sais », fit le roi en riant d'un air moqueur.
« Ah, c'est drôle ! » gémit le prisonnier qui ne trouvait pas ça
drôle du tout. Donnez-moi au moins un indice, supplia-t-il, la cel-
lule 8 est-elle vide ou non ? »
Le roi, qui avait du remords, fut assez généreux pour répondre
sincèrement à cette question, mais à son grand désappointement le
prisonnier découvrit aussitôt la princesse.
Où était-elle ?

## ❧ SOLUTIONS ❧

**1 .** On sait qu'une affiche est sincère et que l'autre ment. Est-ce la
première qui dit la vérité ? Certainement pas, sinon la seconde dirait la
vérité, et du coup les deux affiches diraient vrai ! C'est donc la
seconde affiche qui dit la vérité et la première qui ment. Mais puisque
la seconde dit vrai, il y a effectivement une princesse dans une cellule
et un tigre dans l'autre, et comme la première affiche ment, le tigre est
dans la cellule 1 et la princesse dans la cellule 2. C'est pourquoi le prisonnier doit choisir la deuxième cellule.

**2 .** Si l'affiche 2 était fausse, la première cellule renfermerait la princesse, il y aurait donc une princesse cachée, et l'affiche 1 dirait vrai. Il n'est donc pas possible que les deux affiches mentent à la fois. Par conséquent elles sont vraies toutes les deux, car le roi a promis qui n'y en a pas une qui dit la vérité pendant que l'autre ment. Ainsi, le tigre est dans la cellule 1 et la princesse dans l'autre. Une fois encore le prisonnier doit choisir la cellule 2.

**3 .** Le roi devait avoir quelques pensées secrètes car il a fait enfermer une princesse dans chaque cellule ! En voici la preuve.

L'affiche 1 dit qu'au moins l'une des deux éventualités suivantes est vraie (ce qui n'interdit pas que les deux le soient) :

       Il y a un tigre dans la cellule 1,

       Il y a une princesse dans la cellule 2.

Si l'affiche 2 était fausse, il y aurait un tigre dans la cellule 1 et l'affiche 1, du coup, serait vraie, car la première éventualité le serait. Mais on sait qu'une affiche ne peut pas dire la vérité pendant que l'autre ment. Il en résulte que l'affiche 2 ne ment pas, et par conséquent l'affiche 1 aussi est sincère. Comme la seconde affiche dit la vérité, il y a bien une princesse dans la cellule 1. La première éventualité de l'affiche 1 étant fausse, et parce que cette affiche dit la vérité, la seconde éventualité est vraie. Il y a donc une deuxième princesse dans l'autre cellule.

**4 .** Puisque les affiches sont identiques, si l'une dit la vérité, l'autre aussi, et si l'une ment, il en est de même de l'autre. Supposons qu'elles disent la vérité. Il y a donc une princesse dans chaque cellule, et en particulier dans la deuxième. Mais dans ce cas l'affiche 2 est fausse et il y a une contradiction.

Par conséquent les deux affiches sont fausses, il y a un tigre dans la cellule 1 et une princesse dans la cellule 2.

**5 .** Si la première cellule contenait un tigre, nous aurions une contradiction. En effet, la première affiche serait fausse, et il n'y aurait pas de princesse dans les cellules, seulement des tigres. Mais la présence d'un tigre dans la seconde cellule entraîne que l'affiche qui est collée sur la porte dit vrai, contrairement au fait que la première cellule contient un tigre ! Ainsi, la cellule 1 contient nécessairement une princesse. Du coup, la deuxième affiche est vraie, et il y a un tigre dans la cellule 2.

**6** . La première affiche signifie que les deux cellules contiennent la même chose, des princesses ou des tigres. Supposons que la première cellule renferme une princesse. Alors l'affiche 1 dit la vérité, et il y a aussi une princesse dans la seconde cellule. Supposons au contraire que la première cellule renferme un tigre : dans ce cas, l'affiche 1 est fausse et par conséquent ce n'est pas le même sort qui attend le prisonnier selon qu'il ouvre l'une ou l'autre porte. Il y a donc une princesse dans la seconde cellule. On voit ainsi de façon certaine que la seconde cellule cache une princesse. Il en résulte que l'affiche 2 est fausse et qu'il y a un tigre dans la première cellule.

**7** . La première affiche dit que les occupants des deux cellules ne sont pas de même nature, mais elle ne dit pas où est la princesse. Si celle-ci était dans la cellule 1, l'affiche 1 serait vraie et il y aurait un tigre dans la cellule 2. A l'opposé, si la cellule 1 contenait un tigre, la première affiche serait fausse, ce qui voudrait dire que les occupants des cellules seraient de même nature et il y aurait un tigre dans la cellule 2. Ainsi on arrive toujours à la conclusion que la deuxième cellule contient un tigre. Il en résulte que l'affiche 2 est vraie et qu'il y a une princesse dans la première cellule.

**8** . Supposons que l'affiche de la cellule 1 dise : « Cette cellule contient un tigre ». L'affiche mentirait s'il y avait une princesse dedans, ce qui est contraire aux conventions, et s'il y avait un tigre, elle dirait vrai, ce qui, une fois encore, est contraire aux conventions. Par conséquent l'affiche 1 est celle qui dit : « Chaque cellule contient un tigre », et l'affiche 2 : « Cette cellule contient un tigre ». Mais alors la cellule 1 ne cache pas une princesse sinon son affiche dit vrai, ce qui conduit à une contradiction. Donc la cellule 1 renferme un tigre, son affiche ment, et une princesse est cachée dans la cellule 2.

**9** . Les affiches 1 et 2 se contredisent, donc l'une d'elles est sincère. Mais comme au plus une seule affiche dit la vérité, la première ment et la princesse est dans la cellule 1.

**10** . Puisque l'affiche de la cellule cachant la princesse dit la vérité, il n'y a pas de princesse dans la cellule 2. Si elle était dans la cellule 3 les trois affiches diraient vrai, ce qui est contraire aux conventions. Par conséquent la princesse est dans la cellule 1, et l'affiche 2 est vraie alors que l'affiche 3 est fausse.

**11** . Comme l'affiche collée sur la porte de la cellule renfermant la princesse dit vrai, celle-ci ne peut pas être dans la cellule 3. Supposons qu'elle est dans la cellule 2. Alors l'affiche 2 est vraie, le tigre est dans la cellule 1 et la cellule 3 est vide. Mais alors l'affiche du tigre serait sincère, ce qui n'est pas le cas. Par conséquent la princesse est dans la première cellule, la troisième est vide, et le tigre est dans la deuxième.

**12** . Si le roi avait dit au prisonnier : « La cellule 8 est vide », celui-ci n'aurait pas pu découvrir où était la princesse. Comme on sait qu'il l'a trouvée, le roi a donc répondu que la cellule était occupée. Voici alors le raisonnement du prisonnier.

La princesse ne peut pas être dans la huitième cellule car, si elle y était, l'affiche dirait la vérité, or elle affirme que la cellule contient un tigre. Donc la cellule 8 ne cache pas une princesse. Comme cette cellule n'est pas vide elle contient un tigre, et son affiche ment. On en déduit que la cellule 9 est occupée, mais par quoi ? Pas par une princesse, sinon l'affiche 9 dirait vrai et comme elle affirme qu'il y a un tigre derrière la porte, on aurait une contradiction. Il en résulte que la cellule 9 contient un tigre et que son affiche ment. Mais alors l'affiche 6 dit la vérité, sinon l'affiche 9 dirait la vérité, ce qui est faux comme nous venons de le voir. Puisque l'affiche 6 dit la vérité, l'affiche 3 ment, mais cela entraîne que l'affiche 5 aussi dit un mensonge et que l'affiche 7 est sincère. Comme l'affiche 5 ment, il en est de même des affiches 2 et 4 et, du fait que l'affiche 4 ment, l'affiche 1 dit la vérité.

Maintenant on sait quelles affiches mentent et quelles affiches sont sincères :

| | | |
|---|---|---|
| 1 vrai | 4 faux | 7 vrai |
| 2 faux | 5 faux | 8 faux |
| 3 faux | 6 vrai | 9 faux |

La princesse ne peut être que dans les première, sixième ou septième cellules, puisque seules leurs affiches disent vrai. Comme l'affiche 1 est sincère, la princesse n'est pas dans la cellule 6, et elle n'est pas non plus dans la cellule 1 puisque 7 dit vrai. Par conséquent la princesse est dans la cellule 7.

# 3
# L'Asile
# du Docteur Goudron
# et du Professeur Plume

A la suite de certaines rumeurs on envoya d'urgence l'inspecteur Craig afin d'enquêter dans onze asiles d'aliénés où avaient cours, disait-on, des pratiques curieuses.

Dans chacun d'eux ne logeaient que des médecins et leurs patients, mais les médecins, tout comme les patients, étaient parfaitement sains d'esprit, ou complètement fous. On distinguait les individus sains d'esprit à ce qu'ils raisonnaient fort bien et faisaient parfaitement la différence entre le vrai et le faux. Les fous aussi étaient faciles à reconnaître : ils croyaient systématiquement fausse toute affirmation vraie, et toute affirmation fausse leur semblait vraie. Je dois ajouter que ce petit monde était sincère, car chacun n'affirmait que ce qui lui semblait être vrai.

## 1 - Le premier asile

Dans le premier asile Craig n'interrogea que deux personnes.

« Dites-moi, Durand, fit-il à la première, que savez-vous de Dupont ? »

« Le Docteur Dupont, rectifia l'autre, c'est l'un de nos médecins. » Ensuite Craig rencontra Dupont à qui il demanda :

« D'après vous, Durand est-il un patient ou un médecin ? »

« Un patient, je suis formel ! »

24

L'inspecteur réfléchit un moment et arriva à la conclusion qu'il y avait en effet quelque chose d'anormal dans cet asile, car il abritait un patient sain d'esprit ou un médecin fou !
Comment est-il parvenu à cette conclusion ?

# 2 - Le deuxième asile

Dans le deuxième asile, Craig rencontra un homme dont les paroles prouvaient qu'il s'agissait d'un patient sain d'esprit. L'inspecteur fit aussitôt le nécessaire pour qu'on le relâche.
Avez-vous une idée de ce que cet homme a dit ?

# 3 - Le troisième asile

Dans cet asile quelqu'un a prononcé devant Craig des paroles prouvant qu'il s'agissait d'un médecin fou.
Pouvez-vous retrouver ces paroles ?

# 4 - Le quatrième asile

Craig demanda à quelqu'un : « Etes-vous un patient ? », et l'autre lui répondit par l'affirmative.
Trouvez-vous cela normal ?

# 5 - Le cinquième asile

Cette fois, quand Craig demanda : « Etes-vous un patient ? », son interlocuteur répondit : « Je crois que j'en suis un ».
Y a-t-il quelque chose d'anormal dans cet asile ?

# 6 - Le sixième asile

Pour sa sixième enquête, l'inspecteur posa la question : « Croyez-vous être un patient ? », et on lui répondit : « Je crois que je le crois ».
Une fois encore y a-t-il quelque chose d'anormal dans cet asile ?

# 7 - Le septième asile

Craig garde un souvenir amusé de cet asile où deux personnes, Alphonse et Barnabé, furent interrogées. Pour un observateur superficiel tout paraissait normal. Alphonse jugeait que Barnabé était fou, et Barnabé croyait qu'Alphonse était un médecin. Pourtant Craig fit déplacer l'un d'eux. Lequel et pourquoi ?

# 8 - Le huitième asile

Cet asile était beaucoup plus compliqué que les autres, cependant Craig arriva tout de même à en percer le mystère. Il découvrit d'abord les faits suivants :

(1) Etant donné deux habitants quelconques A et B, ou bien A a une confiance aveugle en B, ou bien il n'a pas confiance du tout.

(2) Certaines personnes servent de professeur à d'autres, et chaque habitant de l'asile a au moins un professeur.

(3) Un habitant n'accepte d'être professeur d'une personne que s'il est persuadé que cette personne a confiance en elle-même.

(4) Pour tout habitant A il y a un habitant B qui a confiance dans ceux, et seulement dans ceux, qui ont au moins un professeur ayant la confiance de A. En d'autres termes, étant donné un habitant X quelconque, B a confiance en X si A a confiance dans un des professeurs de X, et B n'a pas confiance en X si A n'a pas confiance dans aucun des professeurs de X.

(5) Dans l'asile il existe une personne qui a confiance en chaque patient, mais qui n'a confiance en aucun médecin. L'inspecteur Craig

réfléchit un long moment à la façon d'utiliser toutes ces données et déclara finalement : « Un des patients est sain d'esprit ou un médecin est fou. »

Quel est son raisonnement ?

# 9 - Neuvième asile

Cette fois Craig interrogea quatre personnes, A, B, C, et D. D'une part A croyait que B et C étaient fous ou sains d'esprit tous les deux, et d'autre part, B croyait que A et D étaient fous ou sains d'esprit tous les deux.

Alors Craig demanda à C : « Est-ce que D et vous êtes des médecins ? », à quoi l'autre répondit non.

Y a-t-il quelque chose d'anormal dans cet asile ?

# 10 - Dixième asile

Voici une enquête qui passionna Craig, mais qui lui donna bien du mal.

Il découvrit d'abord que les habitants de cet asile avaient formé des comités et que certains appartenaient à plusieurs comités. Chaque comité pouvait avoir pour membres des médecins ou des patients, des fous ou des gens qui ne l'étaient pas. Ensuite il s'aperçut peu à peu des faits suivants :

(1) Il y a un comité formé de tous les habitants.

(2) Un autre comité est formé de tous les médecins.

(3) Chaque habitant de l'asile a un meilleur ami et un pire ennemi.

(4) Etant donné un comité C quelconque, les habitants dont le meilleur ami est membre de C forment un comité, ainsi que ceux dont le pire ennemi est membre de C.

(5) Etant donnés deux comités quelconques, disons, pour fixer les idées, le comité 1 et le comité 2, il y a au moins un habitant dont le meilleur ami croit que D est membre du comité 1, et dont le pire ennemi croit que D est membre du comité 2.

Armé de toutes ces données, Craig découvrit une méthode ingénieuse prouvant qu'un des médecins de cet asile est fou ou qu'un des patients est sain d'esprit. Quelle est cette méthode ?

## 11 - Un complément

Notre détective ne quitta pas tout de suite le neuvième asile car il voulait vérifier encore un point. Il se demandait si les gens sains d'esprit formaient un comité et si les fous formaient, eux aussi, un comité. Il ne parvint pas à satisfaire sa curiosité, mais en utilisant seulement les propriétés (3), (4) et (5) ci-dessus, il prouva que les réponses à ces questions ne pouvaient pas être positives toutes les deux à la fois. Quel est son raisonnement ?

## 12 - Le neuvième asile pose encore un problème

En réfléchissant une fois de plus aux particularités de cet asile, Craig fit encore une découverte importante qui lui permit de simplifier la solution des deux derniers problèmes ; voici en quoi elle consiste.

Etant donné deux comités quelconques, le comité 1 et le comité 2, il existe un habitant E et un habitant F ayant les convictions suivantes :

E croit que F fait partie du comité 1,

F croit que E fait partie du comité 2.

Comment prouver cette propriété ?

## 13 - L'asile du Docteur Goudron
## et du Professeur Plume

De tous ceux qu'il visita, c'est ce dernier asile qui surprit Craig le plus. Il est dirigé par le Docteur Goudron et le Professeur Plume, assistés d'autres médecins. Dans cet asile on qualifie un habitant de *particulier* s'il croit qu'il est un patient, et on dit qu'il est *spécial* si tous les patients croient qu'il est particulier, mais qu'aucun médecin ne le croit particulier.

28

Dans l'asile l'inspecteur Craig rencontra d'abord un habitant sain d'esprit, puis il constata que la condition suivante était remplie :

*Condition C :* chaque habitant a un meilleur ami. Etant donnés deux habitants A et B, si A croit que B est spécial, alors le meilleur ami de A croit que B est un patient.

Peu après cette découverte Craig s'entretint en privé avec le Docteur Goudron.

Craig : Dites-moi si tous les médecins de l'asile sont sains.

Goudron : Certainement qu'ils le sont !

Craig : Et les patients, sont-ils tous fous ?

Goudron : Il y en a au moins un qui l'est.

Cette dernière réponse surprenait Craig par sa modestie ! « Si tous les patients sont fous, c'est vrai qu'à plus forte raison il y en a un qui l'est, mais pourquoi Goudron est-il si prudent ? ». se demandait Craig. Afin d'éclaircir ce mystère il alla voir le Professeur Plume.

Craig : Le Docteur Goudron m'a dit qu'un au moins des patients est fou ; vous le confirmez, n'est-ce pas ?

Plume : Bien sûr ! Tous les patients de cet asile sont fous ! Où vous croyez-vous ?

Craig : Et les médecins, sont-ils tous sains d'esprit ?

Plume : Il y en a au moins un qui l'est.

Craig : Et le Docteur Goudron, est-il sain d'esprit ?

Plume : Certainement qu'il est sain d'esprit ! Comment osez-vous me poser une question pareille ? »

En cet instant Craig fut atterré devant l'horreur de la situation ! Qu'y avait-il donc de si horrible ? (Ceux d'entre vous qui ont lu « Le système du Docteur Goudron et du Professeur Plume » d'Edgard Poe, ont probablement déjà deviné !)

## ❧ SOLUTIONS ❧

**1 .** Nous allons démontrer que Durand ou Dupont, on ne sait pas lequel, est un médecin fou ou un patient sain d'esprit (là encore on ne sait pas quelle est la vérité).

Durand est fou ou sain d'esprit ; supposons d'abord qu'il est sain d'esprit. Alors son jugement est juste, et Dupont est un médecin. Si

29

Dupont est fou, c'est un médecin fou, s'il est sain d'esprit son jugement est juste et Durand est un patient, un patient sain d'esprit. Ainsi, quand on suppose Durand sain d'esprit, on en déduit qu'il est un patient sain d'esprit ou que Dupont est un médecin fou.

Supposons à présent que Durand est fou. Alors son jugement est faux et Dupont est un patient. Si Dupont est sain d'esprit, c'est un patient sain d'esprit. Au contraire, s'il est fou son jugement est faux, Durand est un médecin, et c'est un médecin fou. Ainsi, quand on suppose Durand fou, on en déduit qu'il est un médecin fou ou Dupont est un patient sain d'esprit.

En conclusion, si Durand est sain d'esprit, c'est un patient sain d'esprit ou Dupont est un médecin fou ; si Durand est fou, c'est un médecin fou et Dupont est un patient sain d'esprit.

**2 .** Il y a de nombreuses solutions. La plus simple est que l'habitant de l'asile s'écrie : « Je ne suis pas un médecin sain d'esprit. » Il suffit alors de raisonner de la façon suivante. Un médecin fou ne peut avoir la conviction juste qu'il n'est pas un médecin sain d'esprit. Un médecin sain d'esprit ne peut pas avoir la conviction fausse qu'il n'est pas un médecin sain d'esprit. Un patient fou ne peut avoir la conviction juste qu'il n'est pas un médecin sain d'esprit (car un patient fou n'est pas un médecin sain d'esprit). Il ne reste donc qu'une possibilité, l'homme est un patient sain d'esprit qui a raison de croire qu'il n'est pas un médecin sain d'esprit.

**3 .** L'habitant de l'asile aurait pu dire : « Je suis un patient fou. » En effet un patient sain d'esprit ne peut pas avoir la conviction fausse qu'il est un patient fou, et un patient fou ne peut pas avoir la conviction justifiée qu'il est un patient fou. Par conséquent cet interlocuteur n'est pas un patient ; c'est donc un médecin. Un médecin sain d'esprit ne peut pas croire qu'il est un patient fou, c'est pourquoi l'interlocuteur de Craig est un médecin fou qui croit à tort être un patient fou.

**4 .** L'interlocuteur de Craig croit être un patient. S'il est sain d'esprit, c'est vraiment un patient et c'est donc un patient sain d'esprit, et sa place ne devrait pas être à l'asile. Au contraire, s'il est fou, sa conviction est fausse. Ceci signifie qu'il n'est pas un patient mais un médecin ; c'est donc un médecin fou et il ne devrait pas faire partie de l'équipe médicale. On ne peut pas décider si c'est un patient sain d'esprit ou un médecin fou, mais dans un cas comme dans l'autre, il n'est pas à sa place.

**5 .** Ce problème est différent du précédent. Ce n'est pas parce que l'interlocuteur de Craig dit : je crois que je suis un patient, qu'il croit en être un ! Raisonnons. Puisqu'il dit je crois être un patient et qu'il est honnête, c'est qu'il a la certitude de croire qu'il est un patient. Supposons d'abord qu'il est fou. Alors toutes ses certitudes sont fausses, même celles qui concernent ses convictions. C'est pourquoi le fait qu'il ait la certitude de croire qu'il est un patient montre qu'en réalité il ne croit pas en être un. Il croit donc être un médecin ; mais là encore, comme il est fou il se trompe et il n'est pas médecin, c'est finalement un patient. Par conséquent, si l'on suppose qu'il est fou, c'est un patient fou.

Supposons à présent qu'il est sain d'esprit. Puisqu'il a la certitude de croire qu'il croit être un patient, et comme il n'est pas fou, sa conviction est justifiée ; c'est bien un patient. Par conséquent, si l'on suppose qu'il est sain d'esprit, c'est un patient sain d'esprit.

En conclusion, on est sûr d'avoir affaire à un patient, mais on ne peut pas déterminer s'il est fou ou sain d'esprit.

Il est utile de faire la remarque suivante. Quand un habitant de cet asile croit une chose, cette chose est vraie ou fausse selon qu'il est sain d'esprit ou fou, mais quand un habitant dit qu'il croit être persuadé de quelque chose, cette chose est toujours vraie, que l'habitant soit fou ou non (s'il est fou les deux convictions s'annulent, à la façon dont le négatif d'un négatif est positif).

**6 .** Dans ce problème l'interlocuteur de Craig ne dit pas qu'il est un patient ou qu'il croit être un patient ; il dit je crois que je crois être un patient. Puisqu'il dit ce qu'il pense être vrai, et que les deux premières convictions se neutralisent (voir le problème précédent) il croit tout simplement être un patient. Le problème est alors identique à celui du quatrième asile ; on a affaire à un médecin fou ou à un patient sain d'esprit.

**7 .** Craig fait sortir Alphonse, voici pourquoi. Supposons d'abord Alphonse sain d'esprit. Comme il croit Barnabé fou, Barnabé est fou et celui-ci a tort de croire qu'Alphonse est un médecin. Ainsi Alphonse est un patient sain d'esprit et on doit le faire sortir. Supposons à présent qu'Alphonse est fou, alors il a tort de croire que Barnabé est fou et celui-ci est sain d'esprit. Comme Barnabé croit qu'Alphonse est un médecin, et qu'il a raison, Alphonse est un médecin fou, et il n'est pas à sa place dans l'asile. Finalement on ne peut rien dire de certain sur Barnabé.

**8** . D'après la condition (5) il existe un habitant de l'asile, appelons-le André pour fixer les idées, qui a confiance en tous les patients, et qui n'a confiance dans aucun médecin. D'après la condition (4) il existe un habitant, disons Barnabé, ayant confiance exactement dans les habitants qui ont au moins un professeur ayant la confiance d'André. Concrètement cela signifie pour un habitant X quelconque, qu'au cas où Barnabé a confiance en X, André a confiance en au moins un professeur de X, et qu'au cas où Barnabé n'a pas confiance en X, André n'a confiance en aucun professeur de X. Puisque ceux qui possèdent la confiance d'André sont les patients, d'après la condition (5), nous pouvons récrire la dernière phrase de la façon suivante : Pour un habitant X quelconque, si Barnabé a confiance en X, un professeur au moins de X est un patient, et si Barnabé n'a pas confiance en X, aucun professeur de X n'est un patient. Mais, puisque ceci est vrai pour tout habitant X de l'asile, c'est vrai en particulier pour Barnabé. Ainsi, nous avons démontré :

(1) Si Barnabé a confiance en lui-même il possède au moins un professeur qui est un patient.

(2) Si Barnabé n'a pas confiance en lui-même, il n'a aucun professeur qui soit un patient.

Il y a encore deux possibilités.

—Barnabé a confiance en lui-même. Dans ce cas il a au moins un professeur, disons Pierre, qui est un patient. Puisque Pierre est professeur de Barnabé, il croit que Barnabé a confiance en lui-même, d'après la condition (3). Comme c'est le cas, Pierre est sain d'esprit et c'est un patient ; sa place n'est donc pas à l'asile.

— Barnabé n'a pas confiance en lui-même. Dans ce cas tous les professeurs de Barnabé sont des médecins ; prenons-en un, disons René. Alors René est un médecin et puisqu'il est professeur de Barnabé, il croit que Barnabé a confiance en lui-même, ce qui est faux ; René est donc un médecin fou et il n'a pas sa place dans l'équipe médicale.

En résumé : si Barnabé a confiance en lui-même il y a au moins un patient sain d'esprit ; au contraire, s'il n'a pas confiance en lui-même il y a au moins un médecin fou dans l'asile. Comme nous ne savons pas laquelle de ces deux possibilités est la bonne, nous ne savons pas de façon précise ce qui va de travers dans l'asile, s'il y a un médecin fou ou un patient sain d'esprit.

**9** . Nous allons d'abord démontrer que C et D sont fous tous les deux ou tous les deux sains d'esprit.

Supposons d'abord A et B sains d'esprit. Alors il est vrai que B et C, ainsi que A et D sont sains d'esprit, et par conséquent C et D sont tous les deux sains d'esprit.

Supposons ensuite que A et B sont fous. Alors B et C sont différents, ainsi que A et D. Par conséquent C et D sont sains d'esprit tous les deux.

Supposons à présent que A est sain d'esprit et B est fou. Dans ce cas B et C sont de même nature, et C est fou. mais A et D sont différents, ce qui signifie que D aussi est fou.

Examinons enfin le cas où A est fou et B sain d'esprit. Ici B et C sont différents et C est fou, mais A et D sont semblables, par conséquent D est fou aussi.

En résumé, si A et B sont semblables, C et D sont sains d'esprit tous les deux, si A et B sont différents, C et D sont fous tous les deux. Considérons la première de ces deux possibilités. Quand C dit que D et lui-même ne sont pas deux médecin il a raison, donc l'un d'eux est un patient et il y a un patient sain d'esprit. Dans le cas où C et D sont fous, l'affirmation de C est fausse, C et D sont donc deux médecins et il y a des médecins fous.

**10.11.12** . Commençons par le problème 12 car le problème 10 sera plus facile ensuite.

Avant de débuter permettez-moi de dégager un principe utile : supposons deux assertions X et Y toutes les deux vraies, ou toutes les deux fausses. Alors, quand un habitant de l'asile croit l'une, automatiquement il croit l'autre.

En effet, si ces assertions sont vraies toutes les deux, un habitant qui croit à la première est sain d'esprit et par conséquent il croit aussi à la seconde puisqu'elle est vraie ; au contraire, si elles sont fausses, un habitant qui croit à la première se trompe, il est donc fou, et nécessairement il croit à la seconde puisqu'elle est fausse.

A présent attaquons le problème 12. Considérons deux comités, le comité 1 et le comité 2. Soit U l'ensemble des habitants dont le pire ennemi fait partie du comité 1 et V l'ensemble de ceux dont le meilleur ami est membre du comité 2. D'après la propriété (4), U et V sont des comités ; par conséquent il résulte de (5) qu'il existe un habitant, disons Daniel, dont le meilleur ami, Edouard, croit que Daniel fait partie de U et dont le pire ennemi, Frédéric, croit que Daniel est membre de V. Mais, par définition de U, Daniel est membre de U signifie que son pire ennemi, Frédéric, est membre du comité 1. En d'autres termes, les assertions : « Daniel fait partie de U », et : « Frédéric est dans le comité 1 » sont toutes les deux vraies, ou toutes les deux fausses. Mais puisque Edouard croit la première vraie, il croit aussi que la seconde est vraie, rappelez-vous notre principe utile, donc Edouard croit que Frédéric est dans le comité 1.

D'autre part, Frédéric croit que Daniel fait partie du comité V, mais Daniel est membre de V signifie que son ami Edouard est dans le comité 2 (par définition de V) ; en d'autres termes, ces assertions sont toutes les deux vraies ou toutes les deux fausses. Puisque Frédéric croit que Daniel est membre de V, il croit aussi qu'Edouard est membre du comité 2.

Faisons le point. Nous avons deux habitants Edouard et Frédéric, ce sont les habitants E et F cherchés. En effet, Edouard croit que Frédéric fait partie du comité 1, et Frédéric est persuadé qu'Edouard est membre du comité 2.

Le problème est résolu.

Utilisons ce qui précède pour résoudre le problème 10, en prenant pour comité 1 l'ensemble des patients, et pour comité 2 l'ensemble des médecins. Ce sont bien deux comités, d'après les assertions (1) et (2) de l'énoncé. La solution du problème 12 montre qu'il existe deux habitants, Edouard et Frédéric ayant les convictions suivantes : Edouard croit que Frédéric est membre du comité 1 formé de tous les patients et Frédéric croit qu'Edouard est membre du comité 2 formé des médecins. Autrement dit, Edouard croit que Frédéric est un patient et Frédéric croit qu'Edouard est un médecin. Alors, en utilisant le problème 1 avec Edouard à la place de Durand et Frédéric à la place de Dupont, on obtient que parmi Edouard et Frédéric il y en a un qui est un patient sain d'esprit ou un médecin fou (on ne peut pas trancher). Il y a donc une anomalie dans cet asile.

Pour étudier le problème 11 supposons que les habitants sains et que les fous forment respectivement les comités 1 et 2. D'après le problème 12 deux habitants, Edouard et Frédéric, ont les convictions suivantes :

(a) Edouard croit que Frédéric est sain d'esprit en tant que membre du comité 1,

(b) Frédéric croit qu'Edouard est fou en tant que membre du comité 2.

C'est impossible ! En effet, si Edouard est sain d'esprit sa conviction est juste, Frédéric est sain d'esprit, donc Edouard est fou, et l'on a une contradiction. Au contraire, si Edouard est fou, il a tort de croire que Frédéric sain d'esprit ; celui-ci est donc fou, et Edouard est sain d'esprit ; ici encore nous avons une contradiction.

En résumé, si l'on suppose qu'à la fois les fous et les sains d'esprit forment un comité, on arrive obligatoirement à une contradiction.

**13 .** Vous l'avez deviné, la découverte fort inquiétante de Craig est que tous les patients sont sains d'esprit et tous les médecins sont fous dans cet asile ! Voici pourquoi.

Avant de rencontrer le Docteur Goudron, Craig sait déjà qu'il y a un habitant sain d'esprit. Appelons A cet habitant, et désignons par B son meilleur ami. D'après la condition (c), si A croit que B est spécial, le meilleur ami de A croit que B est un patient, donc B croit qu'il est lui-même un patient ; autrement dit, si A croit que B est spécial, celui-ci est particulier. Puisque A est sain d'esprit, le fait que A ait ou n'ait pas la conviction que B est spécial équivaut au fait que B est ou n'est pas spécial. Ainsi nous avons un résutat-clé : Si B est spécial, il est particulier.

De deux choses l'une, B est particulier ou il ne l'est pas. S'il est particulier il croit être un patient et d'après le problème 4 c'est soit un médecin fou, soit un patient sain d'esprit ; dans l'un ou l'autre cas B doit être déplacé. Supposons à présent que B n'est pas particulier, que peut-on en déduire ? D'abord qu'il n'est pas spécial. C'est dû au résultat-clé ; pour que B soit spécial il faudrait qu'il soit particulier. Donc B n'est ni particulier ni spécial. Puisqu'il n'est pas spécial les assertions : « Tous les patients le croient particulier » et « Aucun médecin ne le croit particulier » ne sont pas toutes les deux vraies, donc l'une d'elles est fausse. Supposons que ce soit la première. Alors un patient au moins, disons P, ne croit pas que B est particulier. Si P était fou, il croirait que B est particulier, puisque B ne l'est pas (c'est l'hypothèse que nous étudions). Donc P n'est pas fou et c'est un patient sain d'esprit. Supposons à présent qu'il existe un médecin, D, qui croit B particulier. Alors D est fou, puisque B n'est pas particulier, et D est un médecin fou.

En résumé, si B est particulier, il existe un patient sain d'esprit ou un médecin fou ; si B n'est pas particulier, ou bien un patient sain d'esprit croit que B n'est pas particulier, ou bien un médecin fou croit que B est particulier. Nous avons donc la certitude que l'asile contient un patient sain d'esprit ou un médecin fou.

Craig avait compris tout cela avant d'interroger le Docteur Goudron et le Professeur Plume. A présent voici ce qu'il a pu tirer de leurs interrogatoires. Le Docteur croit que tous les médecins sont sains d'esprit et le professeur que tous les patients sont fous.

D'après ce que nous venons de voir ils n'ont pas raison tous les deux, et il y a donc un fou parmi eux. Le Professeur Plume croit que le Docteur Goudron est sain d'esprit. Si le professeur était sain d'esprit, il aurait raison et du coup, lui et Goudron seraient sains, ce qui n'est pas vrai. Donc Plume est fou et il a tort de croire que Goudron est sain d'esprit ; ils sont donc fous tous les deux ! Comme Plume croit qu'il existe un médecin sain d'esprit, ils sont tous fous, et comme Goudron croit qu'il existe un patient fou, tous les patients sont sains d'esprit.

Cette énigme m'a été suggérée par la nouvelle d'Edgard Poe intitulée : « Le système du Docteur Goudron et du Professeur Plume » où les patients d'un asile parviennent à maîtriser leurs médecins et à les enfermer à leur place dans les cachots après les avoir roulés dans du goudron et des plumes.

# 4

# Un voyage
# en
# Transylvanie

Le repos de Craig fut de courte durée. Au moment de quitter l'asile du Docteur Goudron et du Professeur Plume, il reçut un télégramme du gouvernement transylvanien lui demandant de venir d'urgence pour diriger une série d'enquêtes d'un genre particulier. La Transylvanie est peuplée d'êtres humains et de vampires. Ceux d'entre vous qui ont lu mon livre : « Quel est le titre de ce livre ? » savent que les vampires mentent systématiquement et que les humains disent toujours la vérité. Pour compliquer les choses, une partie de la population, formée aussi bien d'hommes que de vampires, souffre d'aliénation mentale. Les fous se trompent de façon systématique dans leurs jugements, comme ceux du chapitre précédent ; tout ce qu'ils croient vrai est faux et tout ce qu'ils croient faux est vrai. Bien que le reste de la population juge sainement rien n'est simple en Transylvanie, comme on va le voir. Dans le précédent chapitre Craig n'avait rencontré que des gens sincères, seule la folie faussait leur jugement, la malice n'y était pour rien. Dans ce pays sauvage il n'en va pas de même, car les affirmations fausses peuvent avoir deux causes : l'aliénation mentale ou le vampirisme. Résultat, les humains sains d'esprit et les vampires fous disent toujours la vérité alors que les humains fous et les vampires sains d'esprit n'affirment que des choses fausses. Demandez par exemple à un Transylvanien si la Terre est ronde (c'est-à-dire sphérique). Un humain sain d'esprit répond oui car il ne se trompe pas et ne ment pas ; un humain fou répond non car il ne croit pas que la Terre est ronde, et il dit ce qu'il pense être la vérité ; un vampire sain d'esprit sait que la Terre est ronde mais il ment, sa réponse est non ; enfin un vampire fou est persuadé que la Terre est plate et il ment, c'est pourquoi il répond oui.

Le gouvernement de Transylvanie avait appelé Craig à la rescousse car sa réputation de vampirologue avait largement dépassé les frontières de l'Angleterre.

On lui demandait de mener à terme une série d'enquêtes restées au point mort jusque là.

# LES CINQ PREMIERES ENQUETES

A cinq reprises les policiers transylvaniens, tous des hommes sains d'esprit, avaient arrêté deux personnes, certains à chaque fois que l'une des deux était un vampire et l'autre un être humain, mais ils n'avaient jamais pu démasquer un seul vampire. Ils ne savaient pas non plus si l'une de ces personnes était folle, sauf dans la cinquième enquête.

## 1 - Lucie et Minna

Pour sa première enquête, Craig devait reconnaître qui était le vampire, parmi deux sœurs, Lucie et Minna. Il ne savait pas si l'une d'elles était folle. Voici leur interrogatoire.

Craig à Lucie : Qu'avez-vous à dire ?

Lucie : Nous sommes folles.

Craig, à Minna : Est-ce vrai ?

Minna : Bien sûr que non !

L'inspecteur démasqua immédiatement le vampire. Comment ?

## 2 - Les frères Lugosi

Ils se prénommaient tous les deux Bela, mais un seul était un vampire. Voici leurs déclarations :

Bela l'aîné : Je suis un être humain,
Bela le cadet : Je suis un être humain,
Bela l'aîné : Mon frère est sain d'esprit.
Qui est le vampire ?


## 3 - Michael et Peter Karloff

Les frères Michael et Peter Karloff déclarèrent :
Michael : Je suis un vampire,
Peter : Je suis un être humain.
Michael : En ce qui concerne l'aliénation mentale, mon frère et moi
en sommes au même point.
Qui des deux était le vampire ?


## 4 - La famille Tourguéniev

Cette fois il s'agissait d'un père et de son fils.
Craig, au père : L'un de vous est-il fou ?
Le père : Il y en a au moins un parmi nous.
Le fils : C'est vrai.
Le père : Quant à moi, je ne suis pas un vampire.
Lequel est le vampire ?


## 5 - Karl et Martha Dracula

Karl et Martha Dracula étaient des jumeaux. Disons tout de suite
qu'ils n'étaient pas parents du célèbre comte. Exceptionnellement on
savait qu'un des deux étaient fou et que l'autre était sain d'esprit,
mais on ne savait pas qui était le fou, et bien sûr, on ne savait qui était
le vampire. Ils déclarèrent :
Karl : Ma sœur est un vampire.
Martha : Mon frère est fou !
Qui est le vampire ?

# CINQ COUPLES MARIES

Dans chacune des cinq enquêtes qui suivent, Craig eut affaire à des couples mariés.

Il faut savoir qu'en Transylvanie, comme dans d'autres pays, le mariage entre un être humain et un vampire est rigoureusement interdit ; un être humain ne peut épouser qu'un être humain et un vampire se marie avec un autre vampire. Une fois encore on ne sait pas s'il y a des fous parmi les personnes interrogées.

## 6 - Sylvain et Sylvia Nitrate

Ainsi qu'il a été dit, les époux Nitrate sont deux humains ou deux vampires. Voici leurs déclarations.

Craig, à Sylvia : Qu'avez-vous à dire ?
Sylvia : Mon mari est un être humain.
Sylvain : Ma femme est un vampire.
Sylvia : L'un de nous deux est fou et l'autre ne l'est pas.
Monsieur et Madame Nitrate sont-ils des vampires ?

## 7 - Georges et Gloria Globule

L'inspecteur interrogea ensuite Monsieur et Madame Globule.
Craig : Que voulez-vous me dire ?
Gloria : Tout ce que dit mon mari est vrai.
Georges : Ma femme est folle !
Craig comprit tout de suite que le mari n'était guère galant, mais ensuite, que découvrit-il ?

## 8 - Boris et Dorothée Vampire

Le chef de la police transylvanienne fit observer à Craig qu'il ne devait pas se laisser influencer par le nom de famille des suspects ; mais évi-

demment c'était une recommandation bien inutile car l'inspecteur y
avait pensé. Voici le procès-verbal de l'interrogatoire.

Boris : Nous sommes deux vampires.

Dorothée : Oui, c'est vrai.

Boris : Nous sommes dans le même état mental.

Les époux Vampire méritent-ils leur nom ?

## 9 - Arthur et Liliane Sweet

On amena devant Craig un couple d'étrangers, Arthur et Liliane
Sweet, mariés cependant selon les lois de la Transylvanie.

Arthur : Nous sommes fous.

Liliane : C'est vrai.

Sont-ils des vampires ?

## 10 - Luigi et Manuela Byrdcliffe

Voici leur témoignage :

Luigi : Un de nous deux au moins est fou.

Manuela : C'est faux !

Que sont-ils ?

# DEUX PROBLEMES INATTENDUS

## 11 - Une affaire délicate

L'inspecteur Craig croyant en avoir fini avec ces histoires de vampires
bouclait ses valises, quand un agent du ministre fit irruption dans sa
chambre d'hôtel, pour le supplier de rester un jour de plus ; on avait
encore besoin de lui. C'est sans grand enthousiasme qu'il accepta,
pensant que le devoir devait passer avant tout.

On venait d'arrêter un homme et une femme dont la haute position sociale interdisait toute indiscrétion. Pour plus de sûreté ces personnes furent toujours désignées dans les rapports par A et B, sans qu'on sache qui était l'homme et qui était la femme, et sans qu'on dise s'ils étaient mariés. C'était peut-être deux vampires, ou deux être humains ou un vampire et un être humain. Bien sûr, on ne savait rien quant à leur état mental.

Pendant leur interrogatoire A affirma : « B est sain d'esprit » et B déclara :« A est fou ».

Ensuite A ajouta : « B est un vampire » et B confia : « A est un être humain ».

Que faut-il en penser ?

# 12 - Une querelle de philosophes

Heureux d'en avoir fini avec ces problèmes, Craig était confortablement assis dans la salle d'attente de la Gare Centrale, quelques minutes avant l'arrivée du train qui devait l'emmener vers l'Angleterre. Il surprit malgré lui les paroles échangées par ses voisins, deux philosophes transylvaniens, engagés dans une conversation passionnée dont voici le sujet.

Imaginons deux jumeaux transylvaniens dont l'un est un être humain sain d'esprit et l'autre un vampire fou. Vous rencontrez l'un d'eux et vous voulez savoir à qui vous avez affaire. Pouvez-vous y parvenir en ne posant que des questions dont la réponse est oui ou non ?

Le premier philosophe croyait cela impossible car, affirmait-il, les deux jumeaux donneront des réponses identiques aux questions qui leur seront posées. Il en donnait même une démonstration : « Si la réponse à la question est oui, l'humain sain d'esprit répond oui, car il ne se trompe pas et ne ment pas, alors que le vampire fou répond oui car à la fois il se trompe et il ment. Pour les même raisons, si la réponse à la question est non, ils répondront tous les deux par la négative. Leurs réponses étant toujours identiques, ce type de question ne permet pas de les distinguer ».

Le second philosophe était d'un avis contraire, mais il ne cherchait même pas à soutenir son point de vue par une démonstration ; il se contentait de dire : « Laissez-moi interroger n'importe lequel de ces jumeaux et vous verrez bien comment je ferai pour découvrir ce qu'il est. »

Craig était très intrigué par cette dispute, et il attendait la suite avec impatience. Mais à ce moment son train entra en gare et il constata avec dépit que les deux philosophes étaient venus seulement attendre un ami ; et la fin de la conversation était donc perdue pour lui.

Bercé par le roulement du train, Craig réfléchit au problème qui était posé, et au moment de passer la frontière il découvrit que le second philosophe avait raison. Il imagina aussitôt deux nouveaux problèmes :

(1) Quel est le plus petit nombre de questions à poser pour savoir de quel jumeau il s'agit (des questions dont la réponse est oui ou non).

(2) Trouver ce qui va de travers dans le raisonnement du premier philosophe.

## ❧ SOLUTIONS ❧

Il est utile de dégager d'abord un principe général qui resservira par la suite :

Quand un Transylvanien dit : « Je suis un être humain », il est nécessairement sain d'esprit, et quand il dit : « Je suis un vampire », il est fou.

En effet, supposons d'abord qu'il dise : « Je suis un être humain ». S'il l'est, il est sain d'esprit car il dit la vérité ; s'il ne l'est pas, c'est un vampire qui ment, donc un vampire sain d'esprit. Supposons ensuite que le Transylvanien dise « Je suis un vampire ». S'il est un vampire, il dit la vérité, c'est donc un vampire fou ; au contraire, si c'est un être humain, il se trompe, et une fois encore c'est un fou. Je laisse au lecteur le soin de vérifier de façon analogue qu'un Transylvanien déclarant : « Je suis sain d'esprit » est un être humain alors qu'un Transylvanien affirmant : « Je suis fou » est un vampire. Armés de ce principe nous allons trouver plus facilement la solution des problèmes.

**1 .** Si l'affirmation de Lucie est vraie, les deux sœurs sont folles et Lucie elle-même est folle. Mais un Transylvanien fou qui dit la vérité est un vampire fou. Par conséquent, si Lucie dit vrai, c'est un vampire. A présent supposons fausse l'affirmation de Lucie. Alors une au

43

moins des deux sœurs est saine d'esprit. Si c'est Lucie, comme sa déclaration est fausse, c'est un vampire sain d'esprit. Au contraire, si Lucie est folle, c'est Minna qui est saine d'esprit et, comme Minna contredit sa sœur, ce qu'elle dit est vrai. Par conséquent, comme Minna est saine d'esprit et qu'elle a fait une déclaration juste, c'est elle qui est un être humain. Une fois encore Lucie est le vampire. Donc, quelle que soit l'hypothèse de départ concernant son affirmation, Lucie est le vampire.

**2 .** D'après le principe général démontré en introduction à ces solutions, puisque les frères Lugosi se proclament humains, ils sont sains tous les deux, et Bela l'aîné dit la vérité en affirmant que son frère est sain d'esprit. Comme lui-même est sain d'esprit, c'est un être humain, et le vampire est donc Bela le cadet.

**3 .** Michael est fou car il affirme être un vampire ; au contraire, Peter qui proclame : « Je suis un être humain » est sain d'esprit ; leur état mental n'est donc pas le même. Il en résulte que la seconde déclaration de Michael est fausse, et puisque celui-ci est fou c'est un être humain (les vampires fous ne se trompent jamais !). En conséquence, c'est Peter le vampire.

**4 .** Le père et le fils jugent de la même façon leur état mental ; ils disent donc tous les deux la vérité ou ils se trompent tous les deux, mais comme il y a un seul être humain parmi eux, ils ne sont pas dans le même état mental ; il y a un des deux qui est fou et un seul. Ceci prouve qu'ils disent la vérité et comme le père dit qu'il n'est pas un vampire, c'est son fils le vampire.

**5 .** Supposons que Martha est le vampire. Alors Karl est humain et son affirmation est juste ; c'est donc un humain sain d'esprit. Dans ce cas, Martha est un vampire fou, car il a été précisé qu'elle et son frère ne sont pas dans le même état mental. Mais alors Martha aurait fait une déclaration fausse tout en étant un vampire fou, ce qui est impossible. Il ne faut donc pas supposer que le vampire est Martha, c'est Karl.

On peut aussi déterminer leur état mental. Karl a fait une déclaration fausse ; étant un vampire, il est sain d'esprit ; la déclaration de Martha aussi est fausse, et comme elle est un être humain, elle est folle. A présent on peut donner une réponse complète : Karl est un vampire sain d'esprit, et Martha est un être humain dénué de raison ; Karl ment quand il prétend que sa sœur est un vampire et Martha se trompe quand elle dit que son frère est fou (Jolie famille, même pour la Transylvanie !).

**6** . Comme on a deux humains ou deux vampires, les deux premières déclarations des suspects ne peuvent pas être toutes les deux vraies ou toutes les deux fausses ; une est vraie et l'autre fausse. Ceci signifie qu'un des deux époux est fou et l'autre sain d'esprit. Par conséquent Sylvia a raison, et toutes ses affirmations sont vraies, donc son mari est un être humain. Ce sont donc deux être humains, Sylvia est saine d'esprit et Sylvain est fou.

**7** . En affirmant que tout ce que dit son mari est vrai, Gloria reconnaît par avance qu'il a raison de prétendre qu'elle est folle ; en d'autres termes Gloria proclame indirectement qu'elle est folle. Seul un vampire peut faire une telle déclaration, nous l'avons vu au début des solutions, par conséquent Gloria est un vampire, et son mari aussi.

**8** . Supposons qu'ils sont humains. Dans ce cas ils ont tort de dire qu'ils sont des vampires et ce sont des humains fous. Comme ils sont dans le même état mental, la seconde déclaration de Boris est vraie, ce qui est impossible pour un être humain fou. Par conséquent ce ne sont pas des êtres humains, ce sont des vampires fous.

**9** . Supposons qu'ils sont humains. Un humain ne peut pas dire qu'il ou elle ou encore lui et quelqu'un d'autre sont fous, sinon on aboutit à une contradiction. Ce ne sont pas des humains, ce sont des vampires sains d'esprit qui mentent quand ils disent qu'ils sont fous, ou des vampires fous qui disent la vérité en affirmant qu'ils sont fous (rappelez-vous que les vampires fous disent toujours la vérité, sans avoir l'intention de la dire.)

**10** . Comme Luigi et Manuela se contredisent, un des deux a tort ; l'un ne fait que des déclarations justes et l'autre que des déclarations fausses. Comme ce sont deux humains ou deux vampires, un des deux est fou et l'autre est sain d'esprit ; Luigi a raison quand il dit qu'un au moins des deux est fou. Ainsi, c'est lui qui fait des déclarations exactes, et il a raison quand il dit qu'ils sont humains. Ce sont donc deux humains, Luigi est sain d'esprit et Manuela est folle.

**11** . Disons qu'un Transylvanien est *digne de foi* s'il ne fait que des déclarations justes. Les Transylvaniens dignes de foi sont les humains sains d'esprit et les vampires fous ; les autres sont les humains fous et les vampires sains d'esprit. Le premier suspect, A, déclare que B est sain d'esprit et que B est un vampire ; ses affirmations sont vraies ou fausses toutes les deux. Si elles sont vraies, B est un vampire sain d'esprit et il n'est pas digne de foi. Si elles sont fausses, B est un humain fou, et une fois encore il n'est pas digne de foi. On est donc certain que les déclarations de B sont fausses. Il en résulte que A n'étant ni fou, ni humain, est un vampire sain d'esprit. Donc A aussi n'est pas digne de foi et ses déclarations sont fausses, ce qui prouve que B est un humain fou. En conclusion A est un vampire sain d'esprit et B est un humain fou.

Il faut remarquer que ce problème fait partie d'une série de 16 énigmes analogues dans lesquelles A fait deux déclarations concernant la nature de B et son état mental, pendant que B fait aussi deux déclarations concernant la nature de A et son état mental. On obtient bien 16 problèmes en épuisant toutes les combinaisons possibles. Il est à noter que tous ont une solution unique. Par exemple, si A dit d'abord : « B est humain », puis : « B est sain d'esprit », et que B affirme « A est un vampire », puis : « A est fou », on trouvera que B est un humain sain d'esprit et A un vampire fou. Autre exemple, si A déclare d'abord : « B est sain d'esprit », puis : « B est un vampire », et que B affirme : « A est fou » et ensuite : « A est un vampire », on trouve cette fois que A est un humain sain d'esprit et que B est un vampire sain d'esprit.

Voyez-vous pourquoi on peut résoudre ces 16 problèmes et pourquoi chacun d'eux a une solution unique ? C'est facile. Comme déclarations, A a quatre possibilités :

(1) B est sain d'esprit ; B est humain.
(2) B est sain d'esprit ; B est un vampire.
(3) B est fou ; B est un humain.
(4) B est fou ; B est un vampire.

Dans chacun des cas on peut déterminer si B est, ou n'est pas digne de foi, que les déclarations de A soient vraies ou fausses. Ainsi, dans le premier cas, B est digne de foi. En effet, si les déclarations de A sont vraies, B est un humain sain d'esprit et l'on peut avoir confiance en lui ; au contraire, si elles sont fausses, B est un vampire fou et une fois encore il est digne de foi. On montre de la même façon que B est digne de foi dans le quatrième cas, mais qu'il ne l'est pas dans le deuxième et le troisième. Ainsi, à partir des déclarations de A, on peut toujours déterminer si B est digne de foi, et de même, à partir des déclarations de B, on peut déterminer si A est digne de foi. Ceci étant fait, on sait quelles sont les déclarations vraies, et le problème est résolu.

Si l'on modifie les déclarations de A et B de façon qu'ils ne prononcent plus deux affirmations séparées, mais la conjonction des deux, le problème devient insoluble. Par exemple, si A dit : « B est un vampire sain d'esprit » au lieu d'affirmer successivement que B est un vampire puis que B est sain d'esprit, on ne peut plus en déduire que B est digne de foi. En effet, si la déclaration de A est correcte, B est un vampire sain d'esprit, mais si elle est fausse, B est un vampire fou, ou un humain sain d'esprit ou un humain fou.

**12 .** Une seule question suffit ! Vous n'avez qu'à demander : « Etes-vous un humain ? » (« Etes-vous sain d'esprit ? » ou « Etes-vous un humain sain d'esprit ? » conviendraient tout aussi bien).

Alors vous posez la question : « Etes-vous un humain ? » Si votre interlocuteur est un humain sain d'esprit il vous répond oui. Si c'est un vampire fou, il croit à tort qu'il est humain et comme il ment, sa réponse est non. Ainsi, un humain sain d'esprit répond oui, et un vampire fou répond non. Vous voyez bien qu'il est facile de reconnaître qui est quoi !

Qu'y avait-il de faux dans la démonstration du premier philosophe ? Il avait certainement raison lorsqu'il prétendait que la même question posée aux deux frères recevait la même réponse, mais ce qu'il n'avait pas remarqué, c'est qu'en demandant : « Etes-vous un humain ? », on ne leur posait pas la même question, car elle contient le mot « vous » qui a un sens variable d'un jumeau à l'autre. Malgré l'emploi des mêmes mots, lorsque vous posez cette question à des personnes différentes, ce sont des questions différentes que vous posez.

On peut s'en convaincre de la façon suivante. Supposez que le jumeau humain et sain d'esprit s'appelle Jean, et que le vampire fou s'appelle Jacques.

Si je leur demande : «Est-ce que Jean est un humain ? », ils me répondront tous les deux oui. Si je leur demande : « Est-ce que Jacques est un humain ? », ils répondront non tous les deux. Mais, si je pose la question : « Etes-vous un humain ? », Jean me répondra oui et Jacques me répondra non, car cette question est différente pour chacun d'eux.

# DEUXIEME PARTIE

# ♣ JEUX ♠
# ET
# METAJEUX

# 5
# L'île
# aux
# Questions

Quelque part au-delà des mers, se dresse une île étrange appelée l'Ile aux Questions. Son nom lui vient de la façon originale dont s'expriment les indigènes qui, pour toutes paroles, se contentent de poser des questions auxquelles il faut répondre par oui ou par non.

Les habitants se répartissent en deux types : Les *Positifs* et les *Négatifs*. Les premiers ne peuvent poser que des questions dont la réponse exacte est oui. Quant aux seconds, c'est le contraire, la vraie réponse à leurs questions doit toujours être non. Ainsi, un Positif peut demander : « Est-ce que deux et deux font quatre ? », mais il n'a pas le droit de demander si quatre et trois font huit. A l'inverse, un Négatif ne peut pas demander si deux et deux font quatre, mais il peut poser la question : « Est-ce que quatre et trois font huit ? ».

J'ai longtemps séjourné dans l'île, et voici le récit de quelques rencontres.

# 1

Un jour j'ai croisé un indigène qui m'a interpellé en criant : « Suis-je un Négatif ? ».
Que fallait-il en conclure ?

# 2

S'il avait crié : « Suis-je un Positif ? » qu'aurait-il fallu croire ?

# 3

Dans l'Ile aux Questions, Violette et Didier Leroux m'ont invité à dîner. Au cours du repas, Didier m'a demandé : « Violette et moi sommes-nous tous les deux des Négatifs ? »

# 4

Une autre fois, j'ai rencontré deux frères, Arthur et Robert qui se promenaient dans un jardin. Arthur m'a demandé : « Y a-t-il un Négatif parmi nous ? »
Quel est leur type ?

# 5

Madame Lebel interroge son mari : « Chéri, sommes-nous de types différents ? »
De quel type sont-ils ?

# 6

Un indigène, nommé Zorn, m'a posé la question suivante : « Suis-je de ceux qui peuvent demander s'ils sont des Négatifs ? »
Peut-on en déduire quelque chose concernant Zorn, ou cette histoire est-elle tout simplement impossible ?

# 7

Passant du sublime au ridicule, j'ai rencontré un indigène qui m'a demandé : « Suis-je parmi ceux qui peuvent poser la question que je vous pose ? »
Qu'en pensez-vous ?

# 8

J'ai croisé Monsieur Lhermite et son épouse alors qu'elle lui disait : « Pourrais-tu me demander si mon type est positif ? »
Que peut-on en déduire ?

# 9

Quand j'ai fait la connaissance de Jacques et d'Elisabeth Lenoir, elle lui a demandé : « Pourrais-tu me demander si l'un de nous au moins est Négatif ? »
Que sont-ils ?

Les deux derniers problèmes me rappellent une chanson entendue il y a bien longtemps, qui se moquait de la psychanalyse. Elle avait pour titre : « Je ne peux pas m'entendre avec celui qui peut s'entendre avec moi ! »

# 10

Quel embrouillamini ! Trois sœurs, Alice, Elisabeth et Caroline vont à la pêche et, chemin faisant, la première dit à la seconde : « Pourrais-tu demander à Caroline si elle pourrrait te demander si, elle et toi, vous êtes de types différents ? »
C'est plutôt déconcertant, non ! Vous pouvez pourtant en déduire le type d'une de ces trois jeunes filles. Laquelle, et quel est son type ?

# DES RENCONTRES INSOLITES

Et voici les dialogues les plus étranges que j'aie jamais entendus sur l'Ile aux Questions !
Trois patients échappés d'un asile décrit au chapitre 3 venaient de s'y réfugier. Rappelons que les habitants de ces asiles sont tous fous ou sains d'esprit. Ceux qui sont sains d'esprit ne se trompent jamais et disent toujours la vérité, alors que les fous ne font que des affirmations fausses.

## 11

Le jour de son arrivée, Claude, le premier patient, a rencontré un indigène qui lui a demandé : « Croyez-vous que je sois un Négatif ? »
Qu'en déduisez-vous concernant Claude et l'indigène ?

## 12

Le jour suivant c'est Thomas, le second patient, qui a eu un long dialogue avec un indigène (si l'on veut bien appeler dialogue une rencontre où Thomas ne dit rien pendant que l'autre pose une foule de questions !). En particulier l'indigène lui a dit :
« Croyez-vous que je puisse vous demander si vous êtes fou ? »
Que peut-on en conclure concernant Thomas et l'indigène ?

## 13

Le troisième patient s'appelait Gérard. Quand je l'ai croisé, il m'a raconté que la veille il avait surpris Thomas déclarant à un indigène :
« Tu es parmi ceux qui pourraient me demander si je crois que tu es un Négatif. »
Peut-on en déduire quelque chose concernant Thomas, l'indigène qui s'appelle Francis Lemaire, ou Gérard ?

# QUI EST LE SORCIER ?

Le soir de ces rencontres je ne savais pas encore si Thomas était fou ou sain d'esprit, et je ne savais pas qu'il quitterait l'île le lendemain, avec ses deux compagnons. Je ne les ai jamais revus. Aux dernières nouvelles, on raconte qu'ils sont retournés volontairement dans leur asile ayant trouvé tous les trois que la vie est beaucoup plus folle en dehors qu'à l'extérieur !

Quoi qu'il en soit, leur départ apporta un peu de calme dans cette île qui en avait bien besoin. Pour occuper le temps je me promenais, notant les questions qui m'étaient posées, et c'est ainsi que j'appris la présence possible d'un sorcier sur l'Ile aux Questions !

Fasciné par la sorcellerie depuis l'enfance, j'étais impatient à l'idée de rencontrer enfin un vrai sorcier ; c'est pourquoi je partis immédiatement à sa recherche.

## 14

D'abord je rencontrai un indigène qui me posa une question prouvant qu'il y avait effectivement un sorcier sur l'île.
Devinez-vous laquelle ?

Mais j'y pense ! Vous vous demandez peut-être comment j'ai pu entendre parler de l'éventuelle présence des sorciers ? Et vous vous demandez surtout comment j'ai eu connaissance de cette île puisque ses habitants ne posent que des questions sans jamais rien affirmer ? Eh bien, si vous n'avez pas encore trouvé, lisez la solution ; vous y apprendrez par la même occasion comment font les indigènes pour communiquer entre eux, presque aussi bien que nous, enfin, pas tout à fait !

Vous imaginez ma joie en apprenant qu'un sorcier habitait l'Ile aux Questions. Je découvris rapidement qu'il était le seul sorcier de l'île, mais, comme la plupart des indigènes, je ne savais pas qui il était. A ce moment, ceux qui étaient dans le secret offrirent un prix à qui découvrirait son identité. J'étais heureux, ou presque, car d'après le règlement du concours, tout participant donnant une réponse fausse devait être exécuté sans délai.

Tôt le lendemain matin, je partis arpenter l'île dans tous les sens espérant qu'on me poserait assez de questions pour que je puisse en déduire exactement qui était ce mystérieux sorcier. Voici ce que j'appris.

## 15

Le premier indigène, Gustave Lebon, me demanda : « Suis-je le sorcier ? »
En savais-je assez pour trouver le sorcier ?

## 16

Ensuite je rencontrai Bernard Lebrun qui me posa la question : « Puis-je demander si je suis une autre personne que le sorcier ? »
Pouvais-je deviner qu'il était le sorcier ?

## 17

Puis un indigène nommé Désiré Ledru me dit :
« Puis-je demander si le sorcier peut demander si c'est moi, Désiré Ledru, le sorcier ? »
Pouvais-je trouver qui était le sorcier ?

## 18

L'indigène qui m'interrogea ensuite s'appelle Daniel Lefort. Il demanda : « Est-ce que le sorcier est un Négatif ? »
Avais-je découvert le sorcier ?

# 19

Après, je rencontrai René Ledoux. Il me demanda : « Le sorcier et moi sommes-nous du même type ? »
Eurêka ! Toutes les pièces du puzzle étaient enfin rassemblées, je connaissais le nom du sorcier. Qui était-ce ?

## En prime

On va voir si vous êtes un bon détective. Vous vous souvenez de Thomas ? Pouvez-vous dire s'il était vraiment fou ?

## 🌳 SOLUTIONS 🌳

**1 .** Aucun indigène ne peut poser cette question. En effet, si un Positif demandait : « Suis-je un Négatif ? », la réponse serait non, alors qu'elle devrait être oui puisqu'il doit dire la vérité. Au contraire, si c'est un Négatif qui posait la question, la réponse serait oui, puisqu'il est Négatif, alors qu'elle devrait être non. Dans un cas, comme dans l'autre on aboutit à une contradiction ; par conséquent la question ne peut pas être posée.

**2 .** On ne peut rien en conclure, car n'importe qui peut poser cette question. Pour un Positif la réponse est affirmative, et il n'y a rien à redire. Pour un Négatif la réponse est non et, une fois encore, c'est normal.

**3 .** Nous allons d'abord trouver de quel type est Didier. Supposons un instant qu'il est un Positif. La réponse à sa question doit alors être oui et, comme Violette, il est un Négatif, ce qui est contradictoire. Il en résulte que Didier est Négatif. Donc la réponse à sa question est non et sa femme n'est pas du même type que lui, elle est donc Positive.

**4** . Supposons un instant qu'Arthur est un Négatif. Alors il est vrai qu'un des deux frères est Négatif, et la réponse à la question d'Arthur est oui ; ce qui contredit le fait qu'il est un Négatif. Il en résulte qu'Arthur est un Positif, et la réponse à sa question est oui, ce qui signifie qu'un des deux frères au moins est un Négatif. Mais Arthur n'étant pas un Négatif, c'est Robert qui l'est. Nous voyons ainsi qu'Arthur est un Positif et Robert un Négatif.

**5** . On ne peut rien dire de Monsieur Lebel, mais sa femme, elle, est Négative. En voici la raison.

Supposons d'abord que Monsieur Lebel est un Positif, alors la réponse à sa question est oui, et il n'est pas du même type que sa femme. Celle-ci est donc Négative dans ce cas.

Supposons ensuite que Monsieur Lebel est un Négatif. Cette fois la réponse à sa question est non, ce qui signifie que sa femme et lui sont du même type, et une fois encore Madame Lebel est Négative.

On peut en donner une autre preuve, plus sophistiquée. Le problème 1 a montré qu'un indigène de l'Ile aux Questions ne peut pas demander : « Suis-je un Négatif ? ». Si Madame Lebel est Positive, il revient au même pour un indigène de demander : « Suis-je d'un autre type qu'elle ? » ou : « Suis-je Négatif ? ». Cette dernière question étant interdite, Madame Lebel ne peut pas être Positive.

**6** . Cette histoire est parfaitement possible mais Zorn est un Négatif. La façon la plus simple de le voir est d'utiliser le problème 1 où l'on a démontré qu'aucun indigène ne peut demander s'il est Négatif. Puisque Zorn demande s'il est de ceux qui peuvent demander s'ils sont Négatifs, la réponse est non, et il en résulte que Zorn est un Négatif.

**7** . Puisque l'indigène a posé la question c'est qu'il en avait le droit. La réponse est donc oui et cet indigène est un Positif.

**8** . On ne peut rien savoir sur Madame Lhermite, mais son époux est un Positif, et voici pourquoi.

Supposons que Madame Lhermite est Positive. Alors la réponse à la question est oui, ce qui signifie que son mari a le droit de lui demander si elle est Positive. Comme elle est vraiment Positive la réponse à cette question est oui, et Monsieur Lhermite est Positif. Ainsi, si Madame Lhermite est Positive, son mari aussi.

Supposons à présent que Madame Lhermite est Négative. Alors la réponse à sa question est non, ce qui signifie que son mari n'est pas de ceux qui peuvent lui demander si elle est Positive. Il ne peut donc pas poser une question dont la réponse est non, et une fois encore, il est Positif.

Nous voyons que Monsieur Lhermite est Positif quel que soit le type de sa femme.

**9** . Supposons qu'Elisabeth est Positive. Alors la réponse à sa question est oui, et Jacques peut demander si un d'eux au moins est Négatif. Mais cela conduit à une contradiction. En effet, si Jacques est Positif, il est faux que l'un des deux au moins est Négatif, et il ne peut pas poser la question ; au contraire, s'il est Négatif, il est vrai que l'un des deux au moins est Négatif, la réponse à sa question est oui, et il ne peut pas la poser. Dans un cas comme dans l'autre, l'hypothèse qu'Elisabeth est Positive conduit à une contradiction, c'est pourquoi elle est Négative.

Maintenant nous pouvons dire que la réponse à la question d'Elisabeth est non, et Jacques n'a pas le droit de lui demander si un d'eux au moins est Négatif. Pourtant, si Jacques était Positif, il aurait le droit de poser cette question puisqu'Elisabeth est Négative, mais comme il n'a pas le droit de la poser, il est Négatif.

En définitive ils sont Négatifs tous les deux.

**10** . Il est plus facile de résoudre ce problème par étapes. Commençons par démontrer deux affirmations :

*Affirmation 1 :* Si X est un indigène Positif, aucun habitant ne peut lui demander : « Sommes-nous de types différents ? »

*Affirmation 2 :* Si X est un indigène Négatif, n'importe qui peut lui demander : « Sommes-nous de types différents ? »

Nous avons déjà prouvé l'affirmation 1 pour le problème 5 en montrant qu'au cas où Madame Lebel serait Positive, son mari ne pourrait pas lui demander s'ils sont du même type.

Pour l'affirmation 2, où X est Négatif, demander si quelqu'un est d'un autre type que X revient à demander si cette personne est Positive, question que tout le monde a le droit de poser, comme nous l'avons vu dans le problème 2. Par conséquent, n'importe qui peut demander à X s'ils sont de types différents quand X est négatif.

Revenons à notre problème, en prouvant que la réponse à la question d'Alice est non, ce qui montre qu'Alice est Négative. Plus précisément, nous allons démontrer qu'Elisabeth ne peut pas dire à Caro-

line : « Peux-tu me demander si nous sommes, toi et moi, de types différents ? » sans qu'on aboutisse à une contradiction.
Supposons d'abord Elisabeth Positive. D'après l'affirmation 1, Caroline ne peut pas lui demander si elles sont de types différents, donc la réponse à la question d'Elisabeth est non, ce qui est impossible puisque Elisabeth est Positive. Supposons au contraire qu'Elisabeth est Négative. D'après l'affirmation 2, Caroline ne peut pas lui demander si elles sont de types différents, donc la réponse à la question d'Elisabeth est oui, ce qui est impossible puisqu'Elizabeth est Négative. Ainsi, Elisabeth ne peut pas poser la question suggérée par Alice, et la réponse à la question d'Alice est non ; celle-ci est donc Négative. On ne peut rien dire concernant Caroline ou Elisabeth.

**11 .** La réponse à ce problème ne manque pas de piquant, car on ne peut rien dire de l'indigène, bien que ce soit lui qui ait parlé, alors que la folie de Claude, qui n'a pas encore ouvert la bouche, est certaine ! En fait aucun indigène ne peut demander à une personne saine : « Croyez-vous que je sois un Négatif ? » car demander à une telle personne si elle croit quelque chose revient à demander s'il est Négatif.

D'autre part, et nous nous en resservirons, n'importe quel indigène X peut demander à un fou : « Croyez-vous que je sois un Négatif ? », car poser cette question à un fou revient à lui demander : « Suis-je un Positif ? » ce que tout indigène peut faire, comme nous l'avons déjà vu.

**12 .** On ne peut rien dire concernant Thomas mais l'indigène est Négatif. En effet, supposons le contraire. Alors la réponse à la question est oui, ce qui signifie que Thomas croit l'indigène capable de lui demander : « Etes-vous fou ? ». Si Thomas est sain d'esprit son jugement est juste et l'indigène peut vraiment lui demander s'il est fou. Mais un Positif pose une question seulement si sa réponse est oui, ce qui voudrait dire que Thomas est fou. Ainsi l'hypothèse : Thomas est sain d'esprit, conduit à la conclusion que Thomas est fou, ce qui est contradictoire. On ne peut donc pas supposer que Thomas est sain d'esprit. Alors supposons-le fou.
Quand Thomas croit que l'indigène peut lui demander s'il est fou, il a tort, donc l'indigène ne peut lui poser cette question. Mais, comme Thomas est fou et l'indigène est Positif, celui-ci a le droit de demander à Thomas s'il est fou (car la réponse exacte à cette question est oui). On arrive donc encore à une contradiction en supposant que Thomas est fou.

La seule façon de sortir de toutes ces contradictions est d'admettre que l'indigène est Négatif mais on ne peut rien dire de l'état mental de Thomas.

**13**. Je vais vous prouver que Gérard n'a jamais été témoin de cette conversation, et qu'il est fou de le croire.

Si l'on admet son histoire on aboutit à une contradiction. Supposons d'abord Thomas sain d'esprit. Alors sa déclaration est correcte et Francis Lemaire peut lui demander : « Crois-tu que je sois Négatif ? ». Mais, d'après la solution du problème 11, cela montre que Thomas est fou ! On ne peut donc pas supposer Thomas sain d'esprit. Alors, supposons qu'il est fou. Dans ce cas son affirmation est fausse et Francis Lemaire ne peut pas lui demander s'il croit qu'il est Négatif. Mais nous avons vu dans le problème 11 qu'un indigène peut toujours demander à un fou : « Croyez-vous que je sois Négatif ? ». Nous arrivons encore une fois à une contradiction.

Finalement il reste la possibilité que Thomas n'a jamais fait cette affirmation, et que Gérard s'est trompé.

**14**. Beaucoup de solutions sont possibles, celle que je préfère est : « Puis-je demander s'il y a un sorcier dans l'île ? »

Supposons d'abord Positif l'auteur de cette question. Alors la réponse doit être oui, et il peut donc demander s'il y a un sorcier sur l'île. Puisqu'il est Positif la réponse à cette nouvelle question est oui, et il y a un sorcier sur l'île.

Supposons maintenant le questionneur Négatif. Alors la réponse à sa question est non, et il ne peut pas demander s'il y a un sorcier. Comme il est négatif, s'il ne peut pas poser cette question, c'est parce que la réponse est oui, et il y a un sorcier.

Dans tous les cas on voit qu'il y a un sorcier.

**15**. Bien sûr que non !

**16**. Tout ce qu'on peut déduire est que Bernard Lebrun n'est pas le sorcier (voir problème 14)

**17**. Tout ce qu'on peut déduire c'est que le sorcier a le droit de demander si Désiré Ledru est le sorcier. (Rappelez-vous ce qu'on a trouvé dans le problème 11 : Quand un indigène dit : « Puis-je demander *ceci-cela* ? » alors *ceci-cela* est vrai.)

**18** . Tout ce qu'on peut déduire c'est que Daniel Lefort n'est pas le sorcier (car le sorcier, comme quiconque, ne peut pas demander : « Suis-je Négatif ? »)

**19** . A elle seule la question de René Ledoux ne permet pas de trouver qui est le sorcier, mais, ajoutée à toutes les précédentes, elle résout complètement le problème !

Sa question montre que le sorcier est Positif. En effet, supposons d'abord René Ledoux Positif. Alors la réponse à sa question est oui, lui et le sorcier sont du même type, ils sont Positifs. Supposons ensuite René Ledoux Négatif. La réponse à sa question est non ; le sorcier est Positif. Dans tous les cas le sorcier est Positif. Mais nous avons vu au problème 17 que le sorcier peut demander à Désiré Ledru si c'est lui le sorcier. Comme le sorcier est Positif, la réponse à cette question doit être affirmative, et finalement le sorcier n'est autre que Désiré Ledru !

En prime. Je vous ai dit que Thomas, Claude et Gérard pensaient tous trois que la vie est encore plus folle à l'extérieur de l'asile qu'à l'intérieur. Puisque Thomas est de l'avis de ses camarades et qu'ils sont fous, c'est qu'il est fou lui aussi.

# 6
# L'île
# aux
# Rêves

J'ai rêvé que j'abordais sur une île étrange appelée l'Ile aux Rêves. Ses habitants rêvaient curieusement car leurs méditations, dans les rêves, étaient tout à fait semblables à celles de la réalité, et surtout leurs rêves se prolongeaient d'une fois sur l'autre, à la façon dont on retrouve, chaque matin, les pensées de la veille. La terrible conséquence de tout ceci est que certains habitants n'arrivaient plus à savoir s'ils étaient réveillés ou endormis.

Les habitants de l'Ile aux Rêves se répartissent en deux groupes : les diurnes et les nocturnes. A l'état d'éveil les diurnes ne se trompent jamais et leurs jugements sont toujours exacts ; par contre ils se trompent systématiquement dans leurs rêves et lorsqu'ils sont endormis tout ce qu'ils croient vrai est faux. Pour les nocturnes c'est exactement le contraire, ils rêvent juste et se trompent quand ils sont éveillés.

## 1

En ce moment un des habitants de l'Ile aux Rêves croit être diurne. Pouvez-vous dire s'il a raison, s'il est réveillé, ou s'il dort ?

## 2

Un autre croit qu'il dort. Peut-on dire s'il a raison, et peut-on déterminer s'il est diurne ou nocturne ?

## 3

(a) Est-il vrai qu'au cours du temps un habitant quelconque de l'Ile aux Rêves croit toujours appartenir au même groupe, diurne ou nocturne ?
(b) Est-il vrai qu'au cours du temps, cet habitant ne change jamais d'avis quand on lui demande s'il est réveillé ou endormi ?

## 4

A un certain instant, une habitante de l'île croit qu'elle est endormie, ou nocturne, ou les deux à la fois.
    Peut-on dire si elle est réveillée ou si elle rêve ? Peut-on déterminer si elle est diurne ou nocturne ?

## 5

A présent un habitant croit qu'il est endormi et diurne.
    Qu'est-il exactement ?

## 6

Sur l'Ile aux Rêves vivent Monsieur et Madame Duroc. En ce moment Monsieur Duroc croit qu'ils sont tous les deux nocturnes et Madame Duroc croit le contraire.
    Sachant qu'un d'eux est réveillé et l'autre endormi, lequel est réveillé ?

# 7

Il y a bien d'autres habitants sur l'île, par exemple Monsieur et Madame Martin.

Un des époux est nocturne et l'autre diurne. En ce moment Madame Martin croit qu'ils sont tous les deux réveillés ou tous les deux endormis, mais son mari croit qu'ils ne sont pas tous les deux réveillés, ni tous les deux endormis.

Qui a raison?

# 8

Voici un cas particulièrement troublant. Un habitant nommé Stéphane croit qu'il fait partie du même groupe que sa sœur Stéphanie, qui est nocturne, mais en même temps il croit qu'il n'est pas nocturne!

Comment est-ce possible? Est-il nocturne ou diurne? Que dire de sa sœur? Stéphane rêve-t-il ou bien est-il éveillé?

# 9 - La famille Royale

L'Ile aux Rêves possède un Roi, une Reine, et une princesse. Celle-ci est persuadée qu'un de ses augustes parents est diurne et l'autre nocturne. Douze heures passent; la princesse a changé d'état, soit qu'elle s'est éveillée, soit qu'elle s'est endormie. A présent elle croit que son père est diurne et que sa mère est nocturne.

Que peut-on dire du Roi et de la Reine?

# 10

Il n'y a pas d'île intéressante sans charlatan, qu'il soit sorcier, magicien ou devin. Celle-ci n'échappe pas à la règle puisqu'elle possède un guérisseur; c'est d'ailleurs le seul guérisseur de l'île.

Un habitant nommé Ork se demande si c'est lui le guérisseur. Il en arrive à se persuader qu'il est bien le guérisseur, s'il est à la fois diurne et réveillé. Au même moment un autre habitant, nommé Bork, se dit : « Si je suis diurne et réveillé ou nocturne et endormi, alors c'est moi le guérisseur. » Sachant que Bork et Ork sont endormis tous les deux ou réveillés tous les deux, peut-on déterminer si le guérisseur est diurne ou nocturne ?

# 11 - Un métajeu

J'ai posé, à un ami, la question suivante : « En ce moment un habitant de l'Ile aux Rêves croit qu'il est à la fois réveillé et diurne. Qu'est-il réellement ? »

Après avoir réfléchi mon ami s'est écrié : « Je ne peux pas répondre car je suis sûr que tu ne m'en as pas dit assez ! » Il faut reconnaître qu'il avait raison ! Il ajouta : « Et toi, sais-tu au moins à quel groupe il appartient, et s'il est endormi ou réveillé ? »

« Bien-sûr, répliquais-je, je connais tout de lui. »

Alors il me posa une question plutôt inattendue : « Admettons que tu me dises s'il est diurne ou nocturne, en saurai-je assez pour trouver s'il est endormi ou réveillé ? » Je lui répondis, et il en déduisit aussitôt ce qu'était l'habitant de l'Ile aux Rêves.

Etait-il diurne ou nocture, endormi ou réveillé ?

# 12 - Un métajeu plus difficile

J'ai posé à un autre ami le problème suivant. Une habitante de l'Ile aux Rêves croit qu'elle est à la fois endormie et nocture.
Qu'est-elle en réalité ?

Mon ami a tout de suite vu que je ne lui avais pas donné assez d'informations pour résoudre ce problème. Il demanda : « Imaginons que tu me dises si cette dame est nocturne ou diurne, est-ce qu'alors je pourrais trouver si elle est réveillée ou endormie ? »

Je répondis à cette question mais il n'avait toujours pas assez de renseignements pour résoudre le problème.

Quelques jours après, j'ai soumis le même problème à un autre ami sans dire que je l'avais déjà posé. Ayant compris qu'il n'avait pas assez de renseignements, cet ami me demanda : « Admettons que tu me dises en plus si la dame est réveillée ou endormie, pourrais-je résoudre ton problème ? »

Je répondis à sa question, mais il ne trouva pas la solution car il n'en savait toujours pas assez.

Mes deux amis n'ont pas pu résoudre le problème car ils n'en savaient pas assez, mais ce n'est pas votre cas ! Alors réfléchissez, la dame est-elle diurne ou nocturne, réveillée ou endormie ?

# Epilogue

Imaginez que l'Ile aux Rêves existe réellement, et que je sois un de ses habitants. Suis-je diurne ou nocturne ? Vous en savez assez pour répondre à cette question !

## 🌳 SOLUTIONS 🌳

**1.2.3** . Il est utile de dégager quelques lois qui serviront ensuite.

*Loi 1 :* Un habitant réveillé croit qu'il est diurne.

*Loi 2 :* Un habitant endormi croit qu'il est nocturne.

*Loi 3 :* Les habitants diurnes croient en permanence qu'ils sont réveillés.

*Loi 4 :* Les habitants nocturnes croient en permanence qu'ils sont endormis.

Démontrons la Loi 1. Considérons un habitant réveillé, X. S'il est diurne, il est à la fois diurne et réveillé, donc il ne se trompe pas, et il croit bien être diurne. Au contraire, si X est nocturne, il est à la fois nocturne et réveillé, et il se trompe ; comme il est nocturne il croit qu'il est diurne.

En résumé un habitant réveillé et diurne croit à juste raison qu'il est diurne, et un habitant réveillé nocturne croit à tort qu'il est diurne.

La Loi 2 se démontre de façon analogue ; un habitant endormi nocturne croit à juste raison qu'il est nocturne, et un habitant réveillé diurne croit à tort qu'il est nocturne.

Démontrons la Loi 3. Considérons un habitant diurne X. Quand il est réveillé ses jugements sont corrects, et il croit qu'il est réveillé. Au contraire, quand il dort, il se trompe, et il croit aussi qu'il est réveillé. Ainsi, un habitant diurne qui est réveillé, croit à juste raison qu'il est réveillé, et un habitant diurne qui dort croit à tort qu'il est réveillé.

La démonstration de la Loi 4 est analogue à celle de la Loi 3 ; elle est laissée au lecteur.

Revenons au problème 1. On ne peut pas dire si l'habitant est diurne ou nocturne ; par contre il est réveillé. En effet, d'après la Loi 1, il devrait se croire nocturne s'il était endormi.

Dans le problème 2 on ne peut pas dire si l'indigène est réveillé ou endormi, mais on sait qu'il est nocturne, sinon il devrait se croire réveillé, d'après la Loi 3.

Enfin, pour le problème 3, la réponse à la question (a) est non, car les Lois 1 et 2 montrent que les habitants changent d'avis, alors que la réponse à la question (b) est oui, d'après les Lois 3 et 4.

**4 .** Evidemment on peut résoudre ce problème par l'étude systématique des quatre possibilités.

(1) Elle est nocturne et endormie,
(2) Elle est nocturne et réveillée,
(3) Elle est diurne et endormie,
(4) Elle est diurne et réveillée,

mais je préfère la solution suivante.

L'habitante peut-elle se tromper ? Si c'est le cas, n'étant ni endormie ni nocturne, elle est réveillée et diurne. Mais c'est impossible car une personne diurne et réveillée ne se trompe pas ! Il faut donc supposer qu'elle a raison et, du coup, elle est nocturne et elle dort.

**5 .** Une fois encore, on peut résoudre par l'examen systématique des quatre possibilités mais je ne le ferai pas.

S'il est à la fois endormi et diurne il a raison puisqu'il le croit. Or, comme les diurnes endormis ont toujours tort, il n'est pas possible qu'il soit endormi et diurne. Du coup il se trompe, mais les seuls qui se trompent à part les diurnes endormis sont les nocturnes éveillés. C'est donc un nocturne éveillé.

**6 .** Si vous cherchez à résoudre ce problème par exploration systématique des possibilités, vous avez 16 cas à étudier ! (Quatre possibilités pour le mari, chacune correspondant à quatre possibilités pour sa femme.) Heureusement, il existe une méthode beaucoup plus simple.

Pour commencer, puisque l'un est endormi et l'autre réveillé et qu'ils croient des choses opposées, c'est qu'ils sont tous les deux diurnes ou tous les deux nocturnes, sinon leurs convictions seraient les mêmes. S'ils sont tous les deux nocturnes, ce que croit le mari est correct, et puisqu'il est nocturne, il rêve. Au contraire, s'ils sont tous les deux diurnes, le mari a tort de croire qu'ils sont tous les deux nocturnes ; comme il se trompe et qu'il est diurne, il est endormi.

Ainsi, qu'ils soient nocturnes ou diurnes, le mari dort et sa femme est réveillée.

**7 .** Ce problème est encore plus simple que le précédent. Puisque le mari et la femme ne sont pas du même groupe, leurs convictions diffèrent quand ils sont tous les deux éveillés ou endormis, et sont les mêmes dans le cas contraire.

Comme ils croient des choses différentes, leur état est le même, et c'est la femme qui a raison.

**8 .** On ne peut évidemment pas faire confiance à Stéphane puisqu'il croit vraies deux choses contradictoires ! Cela signifie que toutes ses convictions sont fausses. Il croit d'abord que Stéphanie et lui sont nocturnes, ils ne le sont donc pas. Ensuite, comme il ne se croit pas nocturne, il est nocturne. Il en résulte que Stéphanie est diurne puisque Stéphane est nocturne. On peut ajouter que Stéphane est réveillé car c'est un nocturne qui se trompe.

**9 .** Puisque la princesse a changé d'état, une de ses deux convictions est correcte et l'autre fausse. Cela signifie qu'une des deux assertions suivantes est vraie et l'autre fausse :
(1) Le Roi et la Reine sont de types différents.
(2) Le Roi est diurne et la Reine est nocturne.

Si l'assertion (2) était vraie, (1) aussi serait vraie ; ça ne va pas, donc (2) est fausse et (1) est vraie. Le Roi est nocturne et la Reine est diurne.

**10 .** Supposons Ork diurne et réveillé. Sous cette hypothèse toutes ses convictions sont justes ; en particulier, il a raison de croire ce qu'il croit, c'est-à-dire qu'il est le guérisseur s'il est à la fois diurne et réveillé. Or c'est précisément ce qu'il est ; c'est donc lui le guérisseur. On vient de démontrer que l'hypothèse selon laquelle Ork est à la fois diurne et réveillé conduit à la conclusion qu'il est le guérisseur. Mais c'est exactement ce que croit Ork ! Il a donc raison, et c'est un diurne éveillé ou un nocturne endormi.

De façon analogue on prouve que Bork a raison : si par hasard Bork est diurne et réveillé ou nocturne et endormi, toutes ses convictions sont justes ; en particulier, il a raison de croire que, s'il est diurne et réveillé ou nocturne et endormi, c'est lui le guérisseur. Mais on a supposé qu'il est diurne et réveillé ou nocturne et endormi, c'est donc lui le guérisseur. Ainsi l'hypothèse qu'il est diurne et réveillé ou nocturne et endormi conduit à la conclusion qu'il est le guérisseur. Comme c'est précisément ce que croit Bork, il a raison. Or les seuls qui aient raison sont les diurnes réveillés et les nocturnes endormis ! Bork est donc un diurne réveillé ou un nocturne endormi et, du coup, c'est bien lui le guérisseur. Comme Ork n'est pas le guérisseur, Ork ne peut pas être un diurne éveillé, c'est donc un nocturne endormi. Comme Ork et Bork sont dans le même état de sommeil, Bork est endormi lui aussi, et comme Bork ne se trompe pas c'est un nocturne endormi. Par conséquent le guérisseur est un nocturne.

**11 .** Puisque l'habitant croit être diurne et réveillé, il n'est pas nocturne et endormi, et il n'y a que trois possibilités.
   (1) Il est nocturne et réveillé (donc il se trompe),
   (2) Il est diurne et endormi (donc il se trompe),
   (3) Il est diurne et réveillé (donc il a raison).
Imaginons que j'ai dit à mon ami si l'indigène est diurne ou nocturne, maintenant peut-il résoudre le problème ? Tout dépend de ce qu'est l'indigène. S'il est nocturne, mon ami sait que le cas (1) ci-dessus est le seul possible et du coup il sait que l'indigène est réveillé. Au contraire si je lui ai dit que l'indigène est diurne le cas (1) est éliminé mais il reste les deux autres qu'il ne peut pas départager. En réalité mon ami n'a pas demandé si l'indigène était diurne ou nocturne ; il a seulement demandé s'il pourrait résoudre le problème au cas où je donnerai la réponse à cette question. Si l'indigène avait été diurne j'aurais répondu non ; au contraire, si l'indigène avait été nocturne j'aurais répondu oui, nous avons vu pourquoi. Comme mon ami a pu résoudre le problème, j'ai répondu oui, et l'indigène est nocturne et réveillé.

**12** . Comme elle croit être endormie et nocturne, il n'y a que trois possibilités :

> (1) Elle est nocturne et endormie,
> (2) Elle est nocturne et réveillée,
> (3) Elle est diurne et endormie.

Si j'avais répondu oui à la question de mon premier ami il aurait su que (3) était la seule possibilité (par un raisonnement analogue à celui du problème précédent). Mais il n'a pas su résoudre, j'ai donc répondu non, ce qui élimine (3) mais ne permet pas de départager (1) et (2).

Passons à mon second ami. Si je lui avais répondu oui, il aurait su que la seule réponse est (2), car (2) est la seule possibilité si elle est réveillée, alors que (1) et (3) sont toutes les deux possibles si elle dort. Comme il n'a pas pu résoudre le problème c'est que j'ai répondu non, ce qui élimine quand même la possibilité (2).

Résumons. Le fait que mon premier ami n'ait pu résoudre élimine la possibilité (3), et le fait que le second n'ait pas pu résoudre élimine la possibilité (2) ; il ne reste donc que la possibilité (1), l'habitante est nocturne et endormie.

Epilogue. Je vous ai dit tout au début du chapitre que j'avais rêvé de l'existence de cette île. Si elle existe réellement j'ai rêvé juste, et par conséquent, si je suis un de ses habitants, je suis un nocturne.

# 7
# Des
# métajeux

Les problèmes 11 et 12 du chapitre précédent font partie d'une variété fascinante d'énigmes que je serais tenté d'appeler *métajeux*, car ce sont des jeux à propos du jeu. On pose un problème sans donner assez d'indications pour le résoudre ; quelqu'un l'attaque ; on lui dit qu'il pourrait, ou ne pourrait pas, le résoudre, s'il avait tel ou tel renseignement, mais à nous on ne dit pas toujours de façon précise quels sont ces renseignements. Ainsi armés nous devons résoudre le problème. Ce genre est malheureusement très rare dans la littérature ludique. Voici cinq problèmes de cette espèce, rangés par difficulté croissante ; les premiers sont très faciles alors que le dernier est le couronnement non seulement du chapitre, mais aussi des précédents.

## 1 - Le criminel

Une affaire ancienne mettait en cause deux jumeaux. L'un au moins mentait systématiquement, mais on ne savait pas lequel. Celui qui s'appelait Jean avait commis un crime (ce n'était pas nécessairement celui qui mentait toujours). Le juge d'instruction cherchait à savoir qui était Jean.

« Etes-vous Jean ? » demanda-t-il à l'un des jumeaux.

« Oui » répondit celui-ci.

« Et vous, êtes-vous Jean ? » ajouta le juge à l'intention de l'autre.

Celui-ci répondit par oui ou non, et le juge découvrit aussitôt le criminel.

Qui était Jean, le premier ou le second jumeau ?

## 2 - Un métajeu transylvanien

Au chapitre 4 nous avons vu qu'il y avait quatre sortes de Transylvaniens : les humains sains d'esprit, les humains fous, les vampires sains d'esprit et les vampires fous. Les humains sains d'esprit ne font que des déclarations vraies, car leur jugement est juste et ils sont sincères ; les humains fous ne font que des déclarations fausses car leur jugement est faux mais ils sont sincères ; les vampires sains d'esprit ne font que des déclarations fausses car leur jugement est bon mais ils mentent ; et enfin les vampires fous ne font que des déclarations justes car leur jugement est faux et en plus ils mentent.

Un jour trois logiciens échangeaient leurs souvenirs de voyage en Transylvanie.

« A l'hôtel, disait le premier, j'ai rencontré un individu nommé Igor à qui j'ai demandé s'il était un humain sain d'esprit. Il m'a répondu, par oui ou par non, mais je n'ai pas pu en déduire ce qu'il était vraiment. »

« Voilà une coincidence curieuse, s'exclama le second, car j'ai rencontré moi aussi Igor lors de mon voyage en Transylvanie. Je lui ai demandé s'il était un vampire sain d'esprit et il m'a répondu par oui ou par non, mais je n'ai pas pu en déduire ce qu'il était réellement. »

« Cet Igor semble bien difficile à éviter, s'écria le troisième logicien, car tout comme vous, j'ai eu l'occasion de le rencontrer. Quand je lui ai demandé s'il était un vampire fou il m'a répondu, par oui ou par non, mais moi non plus je n'ai pas pu trouver ce qu'il était. »

Igor est-il fou ou sain d'esprit ? Est-ce un humain ou un vampire ?

## 3 - Les Purs et les Pires

Dans mon livre : « Quel est le titre de ce livre ? » je vous ai parlé d'une île dont les habitants s'appellent les Purs et les Pires ; les premiers disent toujours la vérité et les seconds mentent toujours.

Un logicien qui visitait cette île rencontra deux indigènes A et B. Au premier il demanda : « Etes-vous des Purs tous les deux ? »

L'indigène répondit par oui ou par non. Le logicien réfléchit et comprit qu'il n'avait pas encore assez de renseignements pour déterminer leurs types. Il interrogea A encore une fois : « Etes-vous tous les deux du même type ? », voulant savoir par là s'ils étaient tous les deux des Purs ou des Pires. Ayant obtenu une réponse, oui ou non, le logicien pu alors déterminer le type de chacun d'eux.

Qu'étaient-ils ?

# 4 - Les Purs, les Pires et les Versatiles

Sur une île voisine, vivaient en plus des Purs et des Pires, les Versatiles. Ceux-ci mentent ou disent la vérité au gré de leur fantaisie, sans qu'on puisse le prévoir.

Un jour que je parcourais cette île, j'ai rencontré deux habitants A et B. Je savais qu'un des deux était un Pur et l'autre un Versatile, mais je ne savais pas qui était le Pur. J'ai demandé à A si B était un Versatile, et il m'a répondu par oui ou par non. J'ai su alors qui était quoi.

Lequel était le Versatile ?

# 5 - L'espion

Et voici un métajeu beaucoup moins facile que les précédents !

Un juge d'instruction interroge trois suspects A, B, et C. Il sait qu'un d'entre eux est un Pur (qui dit toujours la vérité), un autre un Pire (qui ment toujours) et le dernier un Versatile (qui ment selon sa fantaisie), mais il ne sait pas qui est quoi. Le Versatile est un espion, et l'interrogatoire a pour but de le démasquer.

Le juge demande d'abord à A de faire une déclaration. On ne nous dit pas précisément ce qu'il déclare mais, soit il accuse C d'être un Pire, soit il accuse C d'être l'espion. Ensuite B prend la parole. Nous ne savons pas ce qu'il dit, mais soit il affirme que A est un Pur, soit il affirme que A est un Pire, soit il affirme que A est l'espion. Enfin C fait une déclaration et, soit il affirme que B est un Pur, soit il accuse B d'être un Pire, soit il accuse B d'être l'espion. A ce moment le juge découvre qui est l'espion et le fait arrêter.

On raconte cette histoire à un logicien. Après avoir réfléchi un moment celui-ci déclare : « Je n'en sais pas assez pour déterminer qui est l'espion ». Alors on lui apprend ce qu'a déclaré A, et il trouve immédiatement qui est l'espion.

Qui est-ce ?

# 🌸 SOLUTIONS 🌸

**1** . Si le second jumeau avait répondu oui, il est clair que le juge n'aurait pas pu savoir lequel était Jean ; donc le second jumeau a répondu non. Ceci signifie que les deux jumeaux disent la vérité tous les deux, ou mentent tous les deux. Comme il y en a au moins un qui ment, ils mentent tous les deux et Jean est le second jumeau. On ne peut pas trouver lequel ment toujours.

**2** . Le premier logicien a demandé à Igor s'il est un humain sain d'esprit. Si celui-ci est un humain sain d'esprit, il a répondu oui ; s'il est un humain fou il a répondu oui, car il croit à tort être un humain sain d'esprit, et il est sincère ; Si Igor est un vampire sain d'esprit, il a répondu oui car il sait très bien qu'il n'est pas un humain sain d'esprit, mais il ment ; enfin si Igor est un vampire fou il a répondu non car il se trompe, et il ment. Nous voyons qu'un vampire fou aurait été le seul à répondre non alors que les trois autres sortes de Transylvaniens, humain sain d'esprit, humain fou, vampire sain d'esprit, auraient répondu oui. Puisque le premier logicien n'a pas su ce qu'était Igor, c'est que celui-ci n'a pas répondu non, et Igor n'est pas un vampire fou.

A la question du second logicien, un humain fou aurait répondu oui, et chacune des autres espèces aurait répondu non. (Je laisse la vérification au lecteur.) Puisque le second logicien n'a pas trouvé ce qu'était Igor c'est que celui-ci a répondu non, et Igor n'est pas un humain fou.

A la question du troisième logicien : un humain sain d'esprit aurait répondu non, et chacune des trois autres espèces aurait répondu oui. Comme le logicien n'a pas pu déterminer ce qu'était Igor, celui-ci a répondu oui et Igor n'est pas un humain sain d'esprit.

Puisque Igor n'est ni un vampire fou, ni un humain fou, ni un humain sain d'esprit, c'est un vampire sain d'esprit.

**3** . Il y a quatre possibilités :
        (1) A et B sont deux Purs,
        (2) A est un Pur et B est un Pire,
        (3) A est un Pire et B est un Pur,
        (4) A et B sont deux Pires.
Le logicien a d'abord demandé à A s'ils étaient tous les deux des

Purs. Dans les cas (1), (3) et (4), celui-ci aurait répondu oui, dans le cas (2) il aurait répondu non. Puisque le logicien n'a pas pu dire ce qu'étaient les indigènes, c'est qu'ils n'ont pas répondu non ; par conséquent le cas (2) est à éliminer. Ensuite le logicien a demandé à A si lui et B sont du même type. Dans les cas (1) et (3) A aurait répondu oui, et dans les cas (2) et (4) il aurait répondu non. Si la réponse faite au logicien avait été oui, il aurait seulement su qu'il s'agissait du cas (1) ou (3), mais il n'aurait pas pu conclure. On lui a donc répondu non, et comme il avait déjà éliminé le cas (2) il ne restait que le cas (4). Ainsi, A et B étaient deux Pires.

**4 .** Si A avait répondu oui, il pouvait être un Pur ou un Versatile, mais je n'aurais pas su quoi exactement. Si A avait répondu non il ne pouvait pas être un Pur, car alors B aurait été un Versatile et A aurait menti. Par conséquent, si A répond non, c'est un Versatile. La seule façon pour moi de savoir qui est quoi, c'est que A réponde non.

**5 .** Bien sûr, nous supposons que le juge et le logicien raisonnent à la perfection, sans quoi il n'y aurait plus de problème ! Il y a deux possibilités : soit on lui a dit que A avait accusé C d'être l'espion ; examinons successivement chacune d'elles.

### Première possibilité
### A accuse C d'être un Pire

Selon ce que B a déclaré, il y a trois cas que nous allons étudier l'un après l'autre.

#### Cas 1 : B dit que A est un Pur.

(1) Si A est un Pur, C est un Pire, car A l'accuse d'être un Pire, et par conséquent B est l'espion ;

(2) Si A est un Pire, B est un Pur, ou un Versatile ; comme son affirmation est fausse il est Versatile ; c'est donc lui l'espion, et C est un Pur ;

(3) Si A est l'espion, l'affirmation de B est fausse, et puisque A est le Versatile, B est le Pire, et C est le Pur.
En résumé nous avons trois éventualités :

     (1) A est un Pur, B est l'espion, C est un Pire,
     (2) A est un Pire, B est l'espion, C est un Pur,
     (3) A est l'espion, B est un Pire, C est un Pur.

A présent supposons que C ait déclaré : « B est l'espion ». Alors les éventualités (1) et (3) sont éliminées (la première parce que C, un Pire, n'a pas pu affirmer la vérité, la seconde parce que C, un Pur, n'a pas pu mentir). Il ne reste que (2), et le juge sait que B est l'espion.

Maintenant supposons que C ait déclaré : « B est un Pur ». Dans ce cas, (1) est la seule possibilité, et le juge sait une fois encore que B est l'espion.

Enfin supposons que C ait déclaré : « B est un Pire ». Dans les éventualités (1) ou (3) le juge ne sait pas qui, de A ou de B, est l'espion, c'est pourquoi C n'a pas accusé B d'être un Pire (Bien sûr tout cela en supposant que B a dit que A était un Pur).

En conclusion, si le cas 1 est vraiment ce qui est arrivé, le juge a reconnu l'espion en la personne de B.

### Cas 2 : B *déclare que* A *est l'espion.*

Nous laissons au lecteur le soin de vérifier qu'il y a trois éventualités :

    (1) A est Pur, B est l'espion, C est un Pire.
    (2) A est un Pire, B est l'espion, C est un Pur.
    (3) A est l'espion, B est un Pur, C est un Pire.

Si C a accusé B d'être l'espion, les éventualités (2) et (3) sont toutes les deux possibles, et le juge n'a pas pu découvrir l'espion. Si C a déclaré que B est un Pur, seule l'éventualité (1) pouvait se produire, et le juge aurait démasqué B. Enfin, si C avait accusé B d'être un Pire, (1) ou (3) étaient possibles et le juge n'a pas pu découvrir l'espion. Par conséquent, dans le cas 2, la seule possibilité est que C ait déclaré : « B est un Pur », et alors B est l'espion.

### Cas 3 : B *accuse* A *d'être un Pire.*

Le lecteur vérifiera qu'il y a quatre éventualités :

    (1) A est un Pur, B est l'espion, C est un Pire,
    (2) A est un Pire, B est l'espion, C est un Pur,
    (3) A est un Pire, B est un Pur, C est l'espion,
    (4) A est l'espion, B est un Pire, C est un Pur.

Si C a accusé B d'être l'espion, (2) et (3) sont possibles et le juge n'a pas pu déterminer qui est l'espion. Si C a déclaré que B est un Pur, (1) et (3) sont possibles et une fois encore le juge n'a pas découvert l'espion. Enfin, si C a accusé B d'être un Pire, (1), (3) et (4) sont possibles mais une fois de plus le juge n'a pas pu démasquer l'espion.

Ainsi, le cas 3 est à éliminer, et seuls les deux premiers sont à considérer. De plus nous savons que dans ces deux cas B est l'espion.

Par conséquent, si l'on dit au logicien que A avait accusé C d'êtré un Pire, le logicien en a déduit que B est l'espion.

## Deuxième Possibilité
## A accuse C d'être l'espion

Nous allons démontrer qu'alors le logicien ne pouvait pas résoudre le problème car l'espion pouvait être A aussi bien que B.

Montrons d'abord que A est l'espion quand, à la fois, A accuse C d'être l'espion, B affirme que A est un Pur et C accuse B d'être un Pire. En effet, dans ces conditions, si B était l'espion il serait le Versatile, mais A aurait menti et C aussi, ce qui n'est pas possible ; si C était l'espion, A serait le Pur, car il aurait dit la vérité, et B serait donc le Pire, mais B aussi aurait dit la vérité, ce n'est donc pas possible et il ne reste qu'une seule éventualité, la bonne, A est l'espion et il a menti, B est un Pire, et C est un Pur.

Montrons à présent que B est l'espion quand, à la fois, A accuse C d'être l'espion, B affirme que A est un Pur, et C accuse B d'être l'espion. En effet, dans ces conditions, si A était l'espion, il serait Versatile, mais B et C auraient menti tous les deux, ce qui n'est pas possible ; si C était l'espion, il serait Versatile, mais A d'abord, puis B ensuite auraient dit la vérité, ce qui est impossible. Par contre, si B est l'espion, il n'y a pas d'impossibilité, A est un Pire et C est un Pur.

En conclusion, si A a accusé C d'être l'espion, nous venons de démontrer que, selon les déclarations de B et C, le juge aurait pu tout aussi bien inculper A que B. C'est pourquoi, si l'on avait dit au logicien : « A a accusé C d'être l'espion », il n'aurait pas su qui le juge avait inculpé ; comme il l'a su, c'est qu'on lui a dit : « A a accusé C d'être un Pire », et alors le juge n'a pu inculper que B. Par conséquent B est l'espion.

# TROISIEME PARTIE

# LE MYSTERE DU COFFRE

# 8
# Mystère
# à
# Monte-Carlo

Nous avons laissé l'inspecteur Craig alors qu'il quittait la Transylvanie, confortablement assis dans le train qui le ramenait vers l'Angleterre. « J'en ai fini avec ces histoires de vampires, pensait-il le cœur léger, vivement que je sois rentré à Londres, là, au moins, les choses sont normales ! » Mais il ne se doutait pas qu'une autre aventure le guettait, une aventure très différente des précédentes, qui réjouira, j'en suis certain, les amateurs de problèmes combinatoires.

L'inspecteur avait décidé de s'arrêter un moment à Paris pour régler quelques affaires, puis de prendre le train de Calais, et d'embarquer pour Douvres. Comme il posait le pied sur le quai de la gare de Calais, il fut abordé par un policier français qui lui tendit un télégramme expédié de Monte-Carlo. On le priait d'accourir d'urgence afin de régler une affaire de la plus haute importance.

« Grands Dieux ! s'exclama Craig, à ce train-là je ne rentrerai jamais chez moi. » Mais il n'hésita pas un seul instant car le devoir passait toujours en premier chez lui ; le jour suivant il arrivait à Monaco. Il fut accueilli à la gare par un certain Morlino, qui le conduisit immédiatement au siège d'une des nombreuses banques de la Principauté.

« Nous vous avons demandé de venir, expliqua Morlino, car nous avons perdu la combinaison du coffre, et à aucun prix nous ne voulons prendre le risque de le faire sauter. »

« Mais comment est-ce arrivé ? » interrogea Craig.

« Pour plus de sécurité, la combinaison est inscrite sur un seul document, et l'un de nos employé a commis l'étourderie incroyable d'enfermer ce document dans le coffre ! »

« Mon Dieu ! s'écria Craig, et personne ne se souvient de la combinaison ? »

« C'est-à-dire que personne n'en est certain, et c'est d'autant plus grave que le coffre possède un défaut de construction. Si quelqu'un tente malencontreusement de l'ouvrir en essayant une combinaison qui n'est pas la bonne, un mécanisme se met en marche et le coffre peut rester fermé pour l'éternité ! Dans ce cas il n'y a plus qu'une chose à faire, le dynamiter. C'est d'autant plus malheureux que ce coffre coûte une fortune et qu'il y a dedans des objets extrêment fragiles qui ne résisteraient pas à l'explosion. »

« Un instant, interrompit Craig, comment se fait-il que vous utilisiez un coffre qui court, en permanence, le risque d'être bloqué à la suite d'une erreur de manipulation ? »

« Pour ma part, j'ai toujours été contre l'achat de ce coffre, répondit Morlino, mais il m'a été imposé par le conseil d'administration, sous prétexte qu'il possède des particularités très remarquables compensant largement ce défaut. »

« Soit dit sans vous offenser, je n'ai jamais rien vu d'aussi ridicule ! » fit Craig d'un air sarcastique.

« C'est bien mon avis, mais que peut-on faire à présent ? »

« Franchement, je n'en ai pas la moindre idée, soupira Craig, et comme je n'ai pas le plus petit indice, je ne vois pas ce que je pourrais entreprendre. J'ai bien peur d'avoir fait tout ce voyage pour rien. »

« Oh, mais les indices ne manquent pas, répliqua Morlino très excité, sans cela je ne vous aurais pas demandé de venir. »

« De quoi voulez-vous parler ? » demanda Craig.

« Eh bien voilà. Il y a quelque temps nous avons eu parmi nos employés un type plutôt bizarre, très fort en maths, enragé de problèmes combinatoires. Il avait une passion dévorante pour les systèmes de fermeture des coffres, et de celui-ci en particulier, qu'il a étudié avec beaucoup de soin. Il a déclaré un jour que c'était le mécanisme le plus étonnant et le plus astucieux qu'il ait jamais vu. Il passait son temps à inventer des jeux mathématiques avec lesquels il nous amusait beaucoup, et un jour il nous a montré une feuille où il avait écrit une liste de propriétés du mécanisme, ajoutant qu'avec ce papier on pouvait retrouver une combinaison qui ouvre le coffre. Il nous l'avait présenté comme un jeu, mais c'était bien trop difficile pour nous, et personne ne s'en est plus occupé. »

« Mais où est ce papier ? demanda Craig avec impatience. Vous n'allez pas me dire qu'il est, lui aussi, dans le coffre ! »

« Non, par chance, le voici, » fit Morlino en sortant une feuille du tiroir de son bureau.

L'inspecteur l'examina avec beaucoup de soin. « Je comprend pourquoi personne n'a pu résoudre ce problème, il a l'air très difficile ! Peut-être vaudrait-il mieux contacter son auteur car il s'en souvient sûrement et il pourrait sans doute reconstituer la combinaison. »

« Il se faisait appeler Maxime Legrand, mais c'est probablement un nom d'emprunt car toutes nos tentatives pour le retrouver sont restées vaines. »

« Alors il n'y a plus qu'à résoudre le problème, mais je crains fort que cela ne dure des mois » fit Craig avec résignation.

« Hélas ! soupira Morlino, je dois vous dire que le coffre doit impérativement être ouvert le 2 juin, car il contient des papiers importants qui devront être produits ce jour-là. S'il n'est pas ouvert avant, il n'y aura plus qu'à le faire sauter, quoi qu'il en coûte. Ces documents ne seront pas détruits par l'explosion car ils sont à l'abri dans une boîte très solide, mais je n'ose pas penser ce que la destruction des autres objets nous coûterait en argent et en réputation, si nous en arrivions là. »

« Comptez sur moi, fit Craig en se levant, je ne vous promets rien, mais je ferai tout ce qui est en mon pouvoir ! »

Maintenant examinons le manuscrit de Maxime Legrand. Le coffre fonctionne avec des *combinaisons*. Une combinaison est une succession de majuscules prises parmi les 26 lettres de l'alphabet, sans limitation de longueur. Dans une combinaison, une même lettre peut revenir un nombre quelconque de fois ; par exemple BABXL ou XEGGEXL sont des combinaisons. Une lettre isolée constitue aussi une combinaison. Certaines combinaisons ouvrent le coffre, et d'autres le ferment à jamais ; celles qui restent ne lui font rien, on les appelle les combinaisons *neutres*. Nous allons utiliser des lettres minuscules $x, y,$ etc, pour désigner des combinaisons et nous noterons $xy$ la combinaison obtenue en écrivant les lettres de $x$ suivies du celles de $y$. Par exemple, si $x$ est la combinaison GAQ, et $y$ la combinaison DZBF, alors $xy$ est la combinaison GAQDZBF. Par définition la *retournée* d'une combinaison est la combinaison obtenue en renversant l'ordre des lettres, par exemple la retournée de BQFR est RFBQ. De même la *répétée* d'une combinaison $x$ est celle qu'on obtient en écrivant deux fois de suite la succession des lettres de $x,$ autrement dit c'est $xx$. Par exemple la répétée de BQFR est BQFRBQFR.

Dans son manuscrit, Maxime Legrand parle de combinaisons *reliées*
à d'autres (ou éventuellement à elles-mêmes), mais il ne définit pas cette
expression ; cependant il en donne assez de propriétés pour qu'une personne astucieuse puisse découvrir une combinaison ouvrant le coffre !
Voici la liste des cinq propriétés qu'il a répertoriées, et qui sont vraies,
dit-il, pour toute combinaison $x$ et $y$ :

Propriété Q  : Si $x$ est une combinaison, la combinaison Q$x$Q, obtenue
en écrivant la lettre Q au début et à la fin de $x$ est relié
à $x$. (Par exemple QCFRQ est reliée à CFR.)

Propriété L : Si la combinaison $x$ est reliée à la combinaison $y$, alors
la combinaison L$x$ est reliée à la combinaison Q$y$. (Par
exemple, puisque QCFRQ est reliée à CFR, la combinaison LQCFRQ est reliée à QCFR.)

Propriété V : Si $x$ est reliée à $y$, alors V$x$ est reliée à la retournée de $y$.
(Par exemple, puisque QCFRQ est reliée à CFR, alors
VQCFRQ est reliée à RFC.)

Propriété R : Si $x$ est reliée à $y$, alors R$x$ est reliée à $yy$. (Par exemple,
QCFRQ est reliée à CFR, donc RQCFRQ est reliée à
CFRCFR. De même, VQCFRQ est reliée à RFC, donc
RVQCFRQ est reliée à RFCRFC.)

Propriété S : Si $x$ est reliée à $y$, et si $x$ bloque le coffre, alors $y$ est neutre ; au contraire, si $x$ est neutre, $y$ bloque le coffre. (Par
exemple nous savons que RVQCFRQ est reliée à
RFCRFC. Si RVQCFRQ bloque le coffre, RFCRFC n'a
pas d'effet sur le mécanisme ; au contraire, si RVQCFRQ
n'a pas d'effet sur le mécanisme, RFCRFC bloque le
coffre.)

A partir de ces conditions il est possible de découvrir une combinaison ouvrant le coffre, mais parmi celles que je connais, la plus courte
est composée de 10 lettres ! C'est pourquoi je ne demande pas au lecteur de trouver dès maintenant la solution, ce serait trop difficile ! Il
y a derrrière ce problème toute une théorie mathématique et logique fort
intéressante qui émergera peu à peu au cours des prochains chapitres.

Craig travailla pendant plusieurs jours sur le problème, sans résultat.
« Ça ne sert à rien que je reste ici plus longtemps, pensa-t-il, je serai
plus tranquille chez moi pour réfléchir. » Et il rentra à Londres.

Si le problème a fini par trouver une solution, c'est grâce à l'ingénio-
sité de Craig et deux de ses amis, dont nous ferons bientôt la connaissance, mais grâce aussi à un remarquable enchaînement de circonstan-
ces qui va vous être conté.

# 9

# Une machine
# à fabriquer des
# nombres

Rentré à Londres, Craig passa de longues journées sur le problème du coffre, mais sans rien trouver. Pour se changer les idées, il décida de rendre visite à un vieil ami, Norman McCulloch, qu'il n'avait pas vu depuis longtemps. Ils avaient fait leurs études ensemble à Oxford, et Craig gardait un excellent souvenir de ce garçon amusant et plutôt excentrique qui passait son temps à mettre au point des inventions toutes plus surprenantes les unes que les autres. De nos jours, nous sommes habitués aux ordinateurs, mais à l'époque où se déroule cette histoire, personne n'en avait jamais entendu parler, et la machine que McCulloch venait d'inventer devait paraître très étonnante.

« Je me suis bien amusé en la construisant, expliqua McCulloch, mais je ne lui ai pas encore trouvé une seule application ; il faut dire qu'elle est plutôt curieuse. »

« Qu'est-ce qu'elle fait ? » demanda Craig.

« Eh bien, tu introduis un nombre dans la machine, tu attends un moment, et il ressort un autre nombre. »

« Tu veux dire un nombre différent ? »

« Tout dépend de ce que tu as mis au départ, il est souvent différent, mais il arrive que ce soit le même. »

« Ah bon ! », fit Craig.

« Je dois te dire, poursuivit McCulloch, que la machine n'accepte pas qu'on introduise n'importe quel nombre ; ceux qu'elle accepte, je les appelle les *nombres acceptables*. »

« C'est la moindre des choses, fit Craig avec un sourire, mais je me demande quels sont les nombres acceptables, et quels sont ceux qui ne le sont pas, autrement dit, s'il y a une loi mathématique qui permette de reconnaître, avant de l'avoir introduit, si un nombre est acceptable ou non. Surtout, peux-tu déterminer à l'avance quel nombre va ressortir de la machine une fois que tu as décidé celui que tu vas introduire ? »

« Non, répondit McCulloch, car il ne suffit pas de décider, encore faut- il véritablement l'introduire. »

« Bien sûr ! s'exclama Craig avec impatience, je veux seulement savoir si, une fois qu'un nombre a été introduit, celui qui va ressortir est parfaitement déterminé. »

« Certainement qu'il est déterminé, tu ne crois tout de même pas que la machine fonctionne au hasard ! Elle obéit à des règles très précises, d'ailleurs laisse-moi t'expliquer en quoi elles consistent. D'abord les nombres dont il s'agit sont des nombres entiers positifs ; ma machine ignore complètement les nombres négatifs ou les fractions. Un nombre N s'écrit comme une succession de chiffres pris parmi 0, 1, 2, 3, 4, 5, 6, 7, 8, et 9. Cependant, pour des raisons techniques, la machine ne connaît que les nombres ne comportant pas le chiffre 0 ; par exemple elle connaît les nombres tels que 23 ou 5492, mais elle ne sait pas quoi faire avec 502 ou 3250607. Si N et M sont deux nombres entiers, je note NM non pas le produit de N par M comme c'est l'usage, mais le nombre obtenu en écrivant dans l'ordre d'abord les chiffres de N, puis à la suite ceux de M. Par exemple, si N désigne le nombre 53, et M le nombre 728, la notation NM désigne le nombre 53728 ; de même, si N vaut 4 et M vaut 39, le nombre NM vaut 439. »

«Voilà une opération bien curieuse !» murmura Craig avec étonnement.

« C'est vrai, admit McCulloch, mais vois-tu, c'est l'opération que la machine comprend le mieux. A présent je vais t'expliquer comment elle opère. Pour cela, je dirai qu'un nombre X *donne* un nombre Y si X est acceptable et Y ressort de la machine quand on introduit X. La machine obéit alors à deux règles.

*Règle 1 : Pour tout nombre* X *le nombre noté* 2X, *formé du chiffre 2 suivi des chiffres de* X, *est acceptable, et il donne* X.

Par exemple, 253 donne 53, et 27482 donne 7482. Si tu préfères, quand j'introduis le nombre 2X dans la machine, celle-ci se contente d'effacer le 2 du début, et il ressort X. »

« Jusque là, je te suis, fit Craig, explique-moi donc la deuxième règle ».

« D'accord, mais auparavant je dois t'apprendre que les nombres de la forme X2X jouent un rôle particulièrement important ; d'ailleurs j'appelerai X2X *l'associé* de X. Par exemple, l'associé de 7 est 727, celui de 549 est 5492549, et ainsi de suite. Voici la deuxième règle.

*Règle 2 : Si X est un nombre acceptable qui donne Y, alors 3X est acceptable et il donne l'associé de Y.*

Par exemple, 27 donne 7 d'après la première règle, donc 327 donne l'associé de 7 qui est 727 ; de la même façon, 2586 donne 586, et 32586 donne l'associé de 586 qui est 5862586. Tu vas voir. »

Alors McCulloch introduisait le nombre 32586 dans la machine, et après d'horribles grincements 5862586 finit par sortir.

« Elle a besoin d'huile, fit remarquer McCulloch, il vaut mieux ne pas trop s'en servir pour l'instant, mais je vais prendre plusieurs exemples pour que tu comprennes bien les règles. Si j'entre 3327, que va-t-il sortir ? Nous savons déjà que 327 donne 727 ; donc, d'après la Règle 2 le nombre 3327 donne l'associé de 727 qui est 7272727. Et si j'entrais 33327, que sortirait-il ? Comme 3327 donne 7272727, nous venons de le voir, 33327 donne l'associé de 7272727, c'est-à-dire 727272727272727. Voici un aute exemple ; 259 donne 59 ; 3259 donne 59259 ; 33259 donne 59259259259 et enfin 333259 donne 59259259259259259259259, c'est simple non ? »

« En effet, répondit Craig, mais jusqu'à présent les nombres qui t'ont servi d'exemple commençaient tous par 2 ou 3. Que se passe-t-il avec ceux qui commencent, disons par 4 ? »

« Tu fais bien de le remarquer, fit McCulloch, je ne te l'ai pas dit, mais les nombres acceptables commencent toujours par 2 ou 3, et même parmi ceux-là tous ne sont pas acceptables. En fait j'ai le projet de construire un de ces jours une machine plus perfectionnée qui accepterait davantage de nombres. »

« Alors il y a des nombres commençant par 2 ou 3 qui ne sont pas acceptables ! Pourrais-tu m'en montrer ? » demanda Craig.

« D'abord 2 tout seul n'est pas acceptable car la machine ne sait pas lui appliquer les règles, mais c'est le seul nombre commençant par 2 à ne pas l'être. Un nombre qui ne contient que des 3 n'est pas acceptable, pas plus que 32 ou 332 et plus généralement une succession de 3 suivie du chiffre 2. Par contre, quel que soit X, les nombres 2X, 32X, 332X, 3332X, et ainsi de suite le sont. Je peux te le dire à présent, les seuls nombres acceptables sont de la forme 2X, 32X, 332X, 3332X, et plus généralement une succession de 3 suivie de 2X avec X quelconque. En fait le fonctionnement de la machine est simple car on peut dire ce que donne chacun des nombres acceptables. Ainsi, le nombre 2X donne X, 32X donne l'associé de X, 332X donne l'associé de l'associé de X, que j'appellerai le *deuxième associé* de X, ensuite 3332X donne l'associé de l'associé de l'associé de X, que j'appellerai le *troisième associé* de X, et ainsi de suite. »

« J'ai bien suivi, fit Craig, mais maintenant j'aimerais que tu me parles des choses curieuses auxquelles tu as fait vaguement allusion en me présentant ta machine. »

« Vois-tu, elle soulève de nombreux problèmes de nature combinatoire ; je vais t'en poser quelques-uns. »

# 1

« Pour commencer voici un problème facile, dit McCulloch. Il existe un nombre qui se donne lui-même ; autrement dit, quand on l'introduit, c'est lui qui ressort. Vois-tu quel est ce nombre ? »

# 2

« Parfait, dit McCulloch après que Craig ait donné la réponse, mais maintenant peux-tu déterminer un nombre N qui donne son associé, autrement dit, quand on introduit N dans la machine il ressort N2N ? Craig eut plus de mal avec cette question mais il s'en tira quand même. Et vous ?

# 3

« De mieux en mieux, s'exclama McCulloch, mais je voudrais savoir comment tu as trouvé. Est-ce à tâtons ou as-tu suivi une idée directrice ? Dis-moi en plus si le nombre que tu as trouvé est la seule solution possible. »

Craig expliqua sa méthode et répondit à la question concernant l'unicité de la solution. Le lecteur s'apercevra que l'idée de Craig est du plus haut intérêt et permet de simplifier la solution de plusieurs problèmes de ce chapitre.

# 4

Je viens de m'apercevoir que j'ai oublié de te demander s'il n'existe qu'une solution au premier problème ; qu'en penses-tu ?
Craig répondit correctement.

# 5

« A présent, demanda McCulloch, peux-tu me donner un nombre N qui donne 7N, c'est-à-dire un 7 suivi de N ? »

# 6

« Et maintenant une autre question, ajouta McCulloch, existe-t-il un nombre N tel que 3N donne l'associé de N ? »

# 7

« Y a-t-il un nombre N qui donne l'associé de 3N ? »

# 8

« J'ai remarqué quelque chose d'intéressant, fit McCulloch. *Quel que soit le nombre* A, *il existe un nombre* Y *qui donne* AY. Peux-tu le prouver, et le nombre A étant donné, comment ferais-tu pour trouver Y ? »

Ce résultat, aussi simple soit-il, est beaucoup plus important que McCulloch ne l'avait compris à cette époque ! Il refera surface plusieurs fois d'ici la fin du livre. Je l'appellerai la *Loi de McCulloch*.

# 9

« Ensuite, poursuivit McCulloch, peux-tu me dire si, un nombre A étant donné, il existe toujours un nombre Y qui donne l'associé de AY ? Par exemple, existe-t-il un nombre Y qui donne l'associé de 56Y, et si c'est le cas, quel est ce nombre ? »

# 10

« Autre chose, reprit McCulloch, existe-t-il un nombre N qui donne son deuxième associé, et peux-tu le déterminer ? »

# 11

« Etant donné un nombre A, il existe un nombre X qui donne le deuxième associé de AX. Vois-tu comment trouver un tel nombre X, si tu connais A ? Par exemple, peux-tu trouver un nombre X qui donne le deuxième associé de 78X ? »

Voici encore quelques problèmes posés par McCulloch ce jour-là. A part le dernier, ils sont d'une importance théorique moindre que les précédents, mais je suis sûr que le lecteur s'amusera en les cherchant.

# 12

Trouver un nombre N tel que 3N donne 3N.

# 13

Trouver un nombre N tel que 3N donne 2N.

# 14

Trouver un nombre N tel que 3N donne 32N.

# 15

Existe-t-il un nombre N tel que NNN2 et 3N2 donnent le même nombre ?

# 16

Existe-t-il un nombre dont l'associé donne NN ?
La solution est-elle unique ?

# 17

Existe-t-il un nombre N tel que NN donne l'associé de N ?

# 18

Trouver un nombre N tel que l'associé de N donne
le deuxième associé de N

# 19

Trouver un nombre N qui donne N23.

## 20 - Un résultat négatif

« Tu sais, dit McCulloch, j'ai longtemps cherché un nombre N qui donnerait N2, mais je n'y suis jamais arrivé. Je me demande s'il en existe, ou si je n'ai pas été assez malin pour en trouver ! »
Craig se jeta sur ce problème. Il prit un papier et un crayon et commença à chercher, mais au bout d'un moment il se releva en déclarant :
« Ne cherche pas davantage, ton nombre n'existe pas ! »
Comment est-il arrivé à ce résultat ?

## ❧ SOLUTIONS ❧

**1 .** Le nombre 323 convient. Puisque 23 donne 3, (Règle 1), 323 donne l'associé de 3, (Règle 2), qui est précisément 323, le même nombre !
Dans le problème 4, on verra s'il y a d'autres solutions.

**2 .** Craig a trouvé le nombre 33233. Tout nombre de la forme 332X donne le deuxième associé de X, donc 33233 donne le deuxième associé de 33, c'est-à-dire l'associé de l'associé de 33. Comme l'associé de 33 n'est autre que 33233, le nombre introduit dans la machine, le deuxième associé de 33 est l'associé de 33233. Ainsi, 33233 donne son propre associé.

**3 .** Voici à présent comment Craig a découvert la solution du problème précédent, et démontré qu'il n'en existe pas d'autre. Je me contente de reproduire ses explications.
« Je devais trouver un nombre N qui donne N2N, et ce nombre étant acceptable devait être de la forme 2X, 32X, 332X, 3332X, etc. Il me fallait donc trouver X. Est-ce qu'un nombre de la forme 2X pouvait

marcher ? Evidemment non, puisque 2X donne X qui a moins de chiffres que l'associé de 2X ! Donc le nombre N n'est pas de la forme 2X. Ensuite j'ai examiné les nombres de la forme 32X. Ceux-là aussi ne conviennent pas car ils donnent l'associé de X qui comporte moins de chiffres que l'associé de 32X.

Est-ce qu'un nombre de la forme 332X peut convenir ? Il donne le deuxième associé de X, c'est-à-dire X2X2X2X, alors qu'on lui demande de donner 332X2332X, l'associé de 332X. Est-ce que ça peut être la même chose ? Examinons d'abord combien ils possèdent de chiffres. Si $h$ désigne le nombre de chiffres de X, le nombre X2X2X2X possède $4h + 3$ chiffres, puisqu'il a quatre fois les chiffres de X et trois fois le chiffre 2, et 332X2332X possède $2h + 7$ chiffres. Alors peut-on avoir $4h + 3 = 2h + 7$ ? Oui, dans un seul cas, quand $h$ vaut 2. Ainsi, on peut chercher un nombre de la forme 332X, à condition que X possède deux chiffres.

Y a-t-il d'autres nombres qu'on puisse essayer ? Ceux de la forme 3332X par exemple. Ils donnent le troisième associé de X, c'est-à-dire X2X2X2X2X2X2X, et on en cherche un qui donne l'associé de 3332X c'est-à-dire 3332X23332X. Si, une fois encore, on note $h$ le nombre de chiffres de X, le nombre X2X2X2X2X2X2X possède $8h + 7$ chiffres alors que 3332X23332X en possède $2h + 9$. Mais l'égalité $8h + 7 = 2h + 9$ donne $h = 1/3$, qui n'est pas un nombre entier ; ceci prouve qu'il n'y a pas de solution de la forme 3332X.

Un nombre de la forme 33332X peut-il être solution ? Un tel nombre donne le quatrième associé de X qui possède $16h + 15$ chiffres, alors que l'associé de 33332X n'en possède que $2h + 11$. Comme $16h + 15$ est plus grand que $2h + 11$ quel que soit l'entier positif $h$ (il suffit de faire la différence), on voit qu'il n'y a pas de solution de la forme 33332X.

Continuons dans cette direction. Si l'on introduit dans la machine un nombre commençant par plus de quatre chiffres 3, le nombre qu'il donne a toujours plus de chiffres que son associé, et plus il y a de 3 au début, plus la différence est grande ; un tel nombre ne peut pas fournir de solution. Par conséquent, nous n'avons pas le choix, s'il y a une solution, elle est nécessairement de la forme 332X, avec un nombre X de deux chiffres. Autrement dit il faut chercher un nombre de la forme 332$ab$ où $a$ et $b$ sont deux chiffres à déterminer.

D'une part 332$ab$ donne le deuxième associé de $ab$, c'est-à-dire $ab2ab2ab2ab$, et d'autre part il doit donner l'associé de 332$ab$ qui est 3332$ab$2332$ab$. Mais alors, j'ai fini, car les nombres $ab2ab2ab2ab$ et 332$ab$2332$ab$ sont les mêmes dans un cas, et dans un cas seulement, quand $a$ et $b$ valent 3 tous les deux. La solution est donc 33233, et c'est la seule. »

**4 .** « A vrai dire, reconnut Craig, j'ai résolu le premier problème en me fiant uniquement à mon intuition, et je n'ai pas découvert 323 à la suite d'un raisonnement. C'est pourquoi je ne sais pas si c'est la seule solution ; mais ça ne devrait pas être difficile à déterminer ; essayons. Est-ce qu'un nombre de la forme 332X pourrait marcher ? Il donnerait le deuxième associé de X, c'est-à-dire X2X2X2X qui possède $4h + 3$ chiffres, en notant $h$ le nombre de chiffres de X. On veut qu'il donne en fait 332X, qui possède $h + 3$ chiffres, et comme $4h + 3$ est toujours plus grand que $h + 3$ puisque $h$ est plus grand que 0, on voit que ce n'est pas possible, il n'y a pas de nombre de la forme 332X qui soit solution. Si l'on introduit un nombre de la forme 3332X ou un nombre commençant par davantage de 3, la différence entre le nombre de chiffres de ce qu'il donne et de ce qu'on voudrait qu'il donne est encore plus grande. Par conséquent, la seule solution possible est de la forme 32X (un nombre comme 2X ne peut pas convenir puisqu'il donne X qui est plus court que 2X). Nous y sommes presque. Un nombre de la forme 32X donne X2X, et on voudrait qu'il donne 32X. Le premier possède $2h + 1$ chiffres et le second en possède $h + 2$, on doit donc avoir $2h + 1 = h + 2$, ou encore $h = 1$. Ainsi, X possèderait un seul chiffre, et comme X2X doit être indentique à 32X, on voit que X vaut 3. La seule solution est bien 323 ».

**5 .** Prenez pour N le nombre 3273. Il donne l'associé de 73 qui est 73273, et ce nombre n'est autre que 7N. Par conséquent 73273 est une solution. En fait, c'est la seule, comme on peut le vérifier en utilisant la méthode des deux premiers problèmes.

**6 .** Puisque 323 donne lui-même, 3323 donne l'associé de 323. Ainsi, en posant N = 323, on voit que 3N donne l'associé de N, et une fois encore c'est la seule solution.

**7 .** La solution est N = 332333. En effet, il donne le deuxième associé de 333, qui est l'associé de 3332333, c'est-à-dire l'associé de 3N.

**8 .** C'est évidemment une généralisation du problème 5. Nous avons vu que N = 3273 donne 7N. Mais en fait le chiffre 7 n'a rien de particulier, et on pourrait le remplacer par n'importe quel chiffre ou même par n'importe quel nombre. Autrement dit, si A désigne un nombre quelconque, le nombre Y = 32A3 donne AY. En effet, Y donne l'associé de A3, qui est A32A3, ou encore AY. Ainsi, il suffit de prendre Y = 328373 pour obtenir un nombre Y qui donne 837Y. Nous reviendrons sur ce fait qui a une importance théorique considérable.

**9** . La réponse est oui ; il suffit de prendre pour Y le nombre 332A33. Il donne le deuxième associé de A33, qui est l'associé de A33A133. Mais A332A33 n'est autre que AY, c'est pourquoi Y donne l'associé de A. Dans l'exemple de McCulloch, où il demandait de trouver un nombre Y qui donne l'associé de 56Y, il suffisait de prendre Y = 3325633.

**10** . La solution est 3332333. Ce nombre donne le troisième associé de 333, qui est le deuxième associé de l'associé de 333. Comme l'associé de 333 est 3332333, on voit que 3332333 donne le deuxième associé de 3332333. On peut remarquer une certaine régularité. Le nombre 323 se donne lui-même ; 33233 donne son associé ; 3332333 donne son deuxième associé ; 333323333 donne son troisième associé ; 33333233333 donne son quatrième associé, etc.

**11** . La solution est X = 3332A333. Ce nombre donne le troisième associé de A333, qui est le deuxième associé de l'associé de A333. Or l'associé de A333 est A3332A333 qui n'est autre que AX. Donc X donne le deuxième associé de AX. Dans l'exemple particulier où A vaut 78, la solution est 333278333.

**12** . Evidemment la réponse est 23. (Nous savons déjà que 323 donne 323, c'est pourquoi en posant N = 23, le nombre 3N donne 3N).

**13** . La réponse est 22.

**14** . La réponse est 232.

**15** . Evidemment N = 2.

**16** . Toute succession de 2 convient.

**17** . Oui, 32 convient.

**18** . N = 33.

**19** . N = 32323.

UNE MACHINE A FABRIQUER DES NOMBRES

**20** . Le lecteur vérifiera facilement que tout nombre N commençant par deux 3 au moins, donne un nombre ayant plus de chiffres que N2 (par exemple, si N est de la forme 332X, et h désigne le nombre de chiffres de X, le nombre N donne le deuxième associé de X, qui possède $4h + 3$ chiffres, alors que N2 en possède $h + 4$). De plus aucun nombre N de la forme 2X ne peut convenir, et par conséquent, s'il y a une solution, elle est de la forme 32X. Ce nombre donne X2X, et l'on veut que ce soit 32X2. Il faut donc que le nombre de chiffres de X soit 2 ; autrement dit, s'il y a une solution elle est de la forme 32*ab* où *a* et *b* désignent deux chiffres qu'il faut déterminer. Nous devons avoir coïncidence entre *ab*2*ab* et 32*ab*2. La comparaison du premier chiffre donne $a = 3$, mais la comparaison du troisième donne $a = 2$. Le problème n'admet donc pas de solution ; il n'existe pas de nombre N qui donne N2.

# 10

# La loi
# de
# Craig

Quinze jours après ces évènements, Craig retourna voir McCulloch.
« Je me suis laissé dire par des amis communs que tu avais construit
une nouvelle machine, débuta Craig. Elle serait plus perfectionnée que
l'ancienne, et ferait des choses très intéressantes ; est-ce vrai ? »
« Certainement ! répondit McCulloch, rayonnant de fierté. Non seulement, elle obéit aux Règles 1 et 2 de l'ancienne machine, mais elle obéit
en plus, à deux autres règles. Je vais te la montrer, mais avant prenons
une tasse de thé car je vois qu'il est à point. »
Après qu'ils aient bu un thé délicieux accompagné de petites crêpes
beurrées, McCulloch commença ses explications. « J'appellerai *retourné*
d'un nombre X le nombre obtenu en écrivant les chiffres de X dans l'ordre
inverse (en commençant par le chiffre des unités, puis celui des dizai-
nes, etc.). Par exemple 4395 est le retourné de 5934. Ceci dit, je peux
t'énoncer la troisième règle de ma nouvelle machine.

*Règle 3 : Si* X *donne* Y, *le nombre* 4X *donne le retourné de* Y.

Je vais te faire une démonstration ; prends un nombre Y au hasard. »
« 7695 », fit Craig.
« Très bien. Comme 27695 donne 7695, d'après la Règle 1, je vais
introduire 427695 pour te montrer ce qui se passe. »
Presque immédiatement, et sans le moindre à-coup, le nombre 5967
sortit de la machine ; McCulloch était aux anges.
« Avant d'énoncer la quatrième règle, poursuivit-il, laisse-moi te donner une idée de ce qu'on peut faire rien qu'avec les trois premières. »

96

# 1

« Tu te souviens qu'avec la vieille machine, qui ne connaissait que les deux premières règles, le nombre 323 était le seul à ressortir sans modification après qu'on l'ait introduit. Avec celle-ci il n'en va pas de même, mais peux-tu trouver un autre nombre ayant cette propriété ? Et combien y en a-t-il ? »

L'inspecteur ne fut pas long à répondre, et vous ?

# 2

« Tu es très fort, reconnut McCulloch après que Craig eut fini sa démonstration. Mais laisse-moi te poser un autre problème. Je dis qu'un nombre est *symétrique* s'il coïncide avec son retourné. Par exemple 58385 et 7447 sont symétriques. Dans mes machines il y a un nombre qui donne son propre retourné, c'est 323 puisqu'il donne 323 et qu'il est est symétrique. Avec l'ancienne il n'y en a pas d'autre, mais avec la nouvelle il y en a qui ne sont pas symétriques. Peux-tu m'en donner un ? »

# 3

« Et puis, ajouta McCulloch, il existe des nombres qui donnent l'associé de leur retourné. Peux-tu en trouver un ? »

« A présent, reprit McCulloch, voici la quatrième règle :

*Règle 4 : Si* X *donne* Y, *alors* 5X *donne* YY.

J'appelle le nombre YY le *répété* de Y. »

Voici quelques problèmes posés à Craig par McCulloch.

# 4

Trouver un nombre qui donne son propre répété.

## 5

Trouver un nombre qui donne le retourné de son propre répété.

## 6

« C'est curieux, observa McCulloch quand Craig eut donné son résultat, mais j'ai trouvé une autre solution qui a sept chiffres elle aussi. » Quelle est-elle ?

## 7

« Si X est un nombre quelconque, dit McCulloch, il est clair que 52X donne le répété de X. Mais peux-tu trouver un nombre X tel que 5X donne le répété de X ? »

Craig réfléchit un bon moment, mais tout à coup il éclata de rire en s'apercevant à quel point la solution était évidente avec tout ce qu'il savait déjà !

## 8

« Et maintenant, reprit McCulloch, trouve-moi un nombre qui donne le répété de son associé. »

## 9

« Peux-tu me dire un nombre qui donne l'associé de son répété ? »

# LES OPÉRATEURS

« Je viens de m'apercevoir, fit Craig soudainement, qu'un principe général permet de résoudre presque tous les problèmes que tu viens de me poser ! En effet, ta machine possède une propriété très plaisante qui, une fois qu'on l'a remarquée, résout non seulement tes problèmes, mais aussi une foule d'autres !

Par exemple, poursuivit-il, il existe un nombre qui donne le répété du retourné de son associé, et un autre qui donne l'associé du répété de son retourné, et encore un autre qui... »

« C'est absolument extraordinaire ! s'écria McCulloch, car j'ai cherché en vain de tels nombres. Comment les trouves-tu ? »

« En quelques secondes, répondit malicieusement Craig, à condition de connaître ce principe. »

« Alors dis le moi », supplia McCulloch.

« Tu sais, fit Craig qui prenait un plaisir évident à taquiner son ami, je peux même te dire un nombre X qui donne le répété du retourné du deuxième associé de X, ou un nombre de Y qui donne le retourné du deuxième associé de YYYY, ou encore un nombre Z qui... »

« Je te crois ! s'écria McCulloch excédé. Dis-moi plutôt ton principe ; on verra les applications plus tard ! »

« Tu as raison, fit Craig en prenant sur la table une feuille de papier et un crayon, je vais te l'expliquer. J'imagine que tu sais ce que signifie faire une *opération* sur un nombre. Par exemple ajouter 1, ou multiplier par 3, ou élever au carré, sont des opérations ; mais aussi, et ça a davantage de rapport avec ta machine, écrire le retourné d'un nombre, ou son répété, ou son associé, ou même quelque chose de plus compliqué comme le retourné du répété de son associé, tout cela sont des opérations. Si j'utilise la lettre F pour désigner une certaine opération, je note F(X), (ça se lit F de X), le résultat de cette opération sur le nombre X ; c'est d'ailleurs ce que font les Mathématiciens. Par exemple, si F désigne l'opération consistant à prendre le retourné d'un nombre, la notation F(X) désigne le retourné du nombre X, et F(345) vaut 543. De même, si F désigne l'opération consistant à écrire le répété d'un nombre, la notation F(X) désigne le répété de X et F(34) vaut 3434.

J'en arrive au point important. J'appellerai certains nombres, en fait tous ceux constitués uniquement de 3, de 4 et de 5, des *opérateurs*, car ils commandent les opérations que ta machine peut effectuer ; voici comment. Je considère un opérateur M, c'est-à-dire un nombre dont les chiffres sont parmi 3,4 et 5, et une opération F. Je dis que l'opérateur M commande l'opération F si, étant donné un nombre X quelconque donnant Y, le nombre MX donne F(Y). Par exemple, si X donne Y, la Règle 3 dit que 4X donne le retourné de Y ; par conséquent, 4 commande l'opération de retournement. De même le nombre 5 commande l'opération de répétition qui consiste à prendre le répété d'un nombre, et le nombre 3 commande l'opération d'association qui consiste à prendre son associé. A présent imagine que F désigne l'opération consistant à prendre l'associé du répété, autrement dit, F(X) est l'associé du répété de X. Existe-t-il un nombre M qui commande cette opération et si oui lequel ? »

« C'est évidemment 35, répondit McCulloch, si X donne Y, alors 5X donne le répété de Y et 35X donne l'associé du répété de Y. Ainsi 35 commande l'opération qui consiste à prendre l'associé du répété d'un nombre. »

« Parfait ! répondit Craig, je vois que tu as compris. A partir de maintenant, si un nombre M commande une certaine opération, je désignerai cette opération par *l'opération* M. Par exemple l'opération 4 consiste à prendre le retourné d'un nombre ; l'opération 5 son répété, l'opération 35 l'associé de son répété, et ainsi de suite… Attention, si j'ai un opérateur, il commande une opération unique, mais dans l'autre sens est-il vrai qu'une opération est commandée par un unique opérateur ? Autrement dit, je pose la question : est-il possible que deux nombres différents M et N commandent la même opération ? »

McCulloch réfléchit un moment et finalement s'écria : « Bien sûr que non, c'est évident ! Les nombres 45 et 54 sont différents mais ils commandent la même opération, car le retourné du répété d'un nombre est le même que le répété de son retourné. »

« Exact, fit Craig, bien que pour ma part j'ai pensé à un autre exemple. Vois-tu quelle est l'opération commandée par 44 ? »

« Quand on l'applique à un nombre X on obtient le retourné de son retourné, c'est-à-dire X lui-même. Cette opération est donc celle qui transforme X en X.

« C'est ça, ajouta Craig, en Mathématiques on l'appelle *l'identité*, autrement dit, 44 commande l'identité. De la même façon 4444 aussi commande l'identité, ainsi que toute succession d'une quantité paire de 4. Il y a donc une infinité de nombres qui commandent l'identité. Plus généralement, si M est un opérateur, le nombre M précédé ou suivi d'un nombre pair de 4 commande l'opération M. »

« Entièrement d'accord », approuva McCulloch. »

« A présent, reprit Craig, si M est un opérateur et X un nombre, j'ai

100

besoin d'une notation pratique pour désigner le nombre obtenu en appliquant l'opération M à X. J'ai envie de le noter M(X). Ainsi, 3(X) sera l'associé de X et 4(X) son retourné, 5(X) son répété et 435(X) le retourné de l'associé du répété de X. Est-ce que ça te paraît clair ? »

« Ça peut aller », fit McCulloch.

« Il faut quand même faire bien attention à ne pas confondre M(X) avec le nombre MX, car ce n'est pas du tout la même chose ! Par exemple, la notation 3(5) désigne 525 et pas 35 ! »

« Je suis bien d'accord, répondit McCulloch, mais ne pourrait-il pas arriver, par pure coïncidence que M(X) soit égal à MX dans certains cas ? »

« C'est une bonne question, mais je n'y avais pas pensé ; laisse-moi y réfléchir ! »

« Avant que tu t'y mettes, je suggère que nous prenions une autre tasse de thé », suggéra McCulloch.

« Superbe ! » fit Craig.

Pendant que nos deux amis dégustent leur thé, j'en profite pour vous soumettre quelques problèmes concernant les opérateurs ; ils vous familiariseront avec la notation M(X), qui va jouer un rôle capital dans la suite.

# 10

La réponse à la dernière question de McCulloch est oui ; il existe vraiment des nombres M et X tels que M(X) = MX. Pouvez-vous en trouver ?

# 11

Existe-t-il un opérateur tel que M(M) = M ?

# 12

Trouver un opérateur M et un nombre X tels que M(X) = XXX.

# 13

Trouver un opérateur M et un nombre X tels que M(X) = M + 2.

# 14

Trouver M et X tels que M(X) soit le répété de MX.

# 15

Trouver deux opérateurs M et N tels que M(N) soit le répété de N(M).

# 16

Trouver deux opérateurs distincts M et N tels que M(N) = N(M).

# 17

Peut-on trouver deux opérateurs M et N tels que M(N) = N(M) + 39 ?

# 18

Peut-on trouver deux opérateurs M et N tels que M(N) = N(M) + 492 ?

# 19

Trouver deux opérateurs distincts M et N tels que
M(N) = MM et N(M) = NN.

# LA LOI DE CRAIG

« Tu ne m'as toujours pas dit en quoi consiste ton prétendu principe général, reprit McCulloch après qu'ils eurent fini leur thé. J'espère que toutes tes explications sur les opérateurs et les opérations vont nous y conduire. »

« Bien sûr, répondit Craig, c'était pour te faire comprendre, et maintenant je crois que tu es prêt. Tu te souviens des premiers problèmes que tu m'as posés, par exemple trouver un nombre qui donne son propre répété. Sans le savoir, tu voulais que je trouve un nombre X donnant 5(X), et quand tu me demandais un nombre donnant son propre associé, tu voulais que je te dise un nombre X donnant 3 (X). Ces problèmes étaient des cas particuliers, d'un principe général, à savoir :

*Pour tout opérateur* M, *il existe un nombre* X *qui donne* M(X) !

Autrement dit, quelle que soit l'opération F faite par ta machine, il existe un nombre X donnant F(X).

Le plus beau, ajouta Craig, c'est qu'une fois l'opérateur M donné, on peut trouver le nombre X par une méthode très simple. Ainsi, on détermine immédiatement un nombre X donnant 543(X), c'est-à-dire le répété du retourné de son associé, de même qu'on trouve un nombre X donnant 354(X), c'est-à-dire l'associé du répété de son retourné. Toujours de la même façon on trouve un nombre X qui donne 5433(X), le répété du retourné du deuxième associé de X. Sans cette méthode ce serait extrêmement compliqué, mais avec, c'est un jeu d'enfant ! »

« Je suis impatient, fit McCulloch, d'apprendre quelle est cette merveilleuse méthode »

« J'y arrive, mais j'ai encore besoin de te faire remarquer quelque chose. Si Y donne Z alors, quel que soit l'opérateur M, le nombre MY donne M(Z). Par exemple, si Y donne Z, le nombre 3Y donne 3(Z), l'associé de Z ; et 4Y donne 4(Z), le retourné de Z ; et 5Y donne 5(Y) le répété de Z ; etc. En particulier, puisque 2Z donne Z, le nombre M2Z donne M(Z) quel que soit l'opérateur M ; par exemple 32Z donne 3(Z) l'associé de Z, de même que 42Z donne 4(Z) ; etc. J'aurais même pu définir M(Z) en déclarant que c'est le nombre donné par M2Z. »

« C'est clair », fit McCulloch.

« Comme je ne voudrais pas que tu oublies ce résultat, je vais te l'écrire :

*Propriété 1 : Quels que soient l'opérateur* M *et les nombres* Y *et* Z *tels que* Y *donne* Z, *le nombre* MY *donne* M(Z) ; *en particulier,* M2Z *donne* M(Z).

De cette propriété et de celle que tu as découverte à propos de ta première machine (la Loi de McCulloch) il est facile de déduire qu'étant donné un opérateur M quelconque, il existe un nombre X qui donne M(X), et ce nombre s'obtient facilement grâce à une recette générale. »

# 20

Craig a découvert un principe fondamental qui sera désigné dorénavant sous le nom de Loi de Craig, à savoir, qu'étant donné un opérateur M, il existe toujours un nombre X qui donne M(X). Comment prouver la Loi de Craig et comment déterminer le nombre X, quand on se donne l'opérateur M ? Par exemple, quel X donne 543(X) ? Quel X donne le répété du retourné de l'associé de X ? Et enfin, quel X donne l'associé du répété du retourné de X, c'est-à-dire 354 (X) ?

« Il y a encore d'autres problèmes que je voudrais étudier, fit McCulloch, mais il se fait tard. Si tu restais pour la nuit, nous pourrions les attaquer de bonne heure demain matin, qu'en dis-tu ? »

Etant de repos le lendemain, l'inspecteur accepta avec plaisir cette invitation.

# QUELQUES VARIANTES DE LA LOI DE CRAIG

Le lendemain matin, à peine avaient-ils fini leur succulent petit déjeuner, que McCulloch posait à Craig de nouveaux problèmes.

## 21

Trouver un nombre X qui donne 7X7X.

## 22

Trouver un nombre X qui donne le retourné de 9X.

## 23

Trouver un nombre X qui donne l'associé de 89X.

« Que d'astuce ! s'exclama Craig après qu'il eut résolu ces problèmes. Aucun d'eux ne peut être résolu par le principe général que je t'ai appris hier. »

« Bien vu », fit McCulloch en riant.

Craig poursuivit : « Il y a quand même un principe commun qui permet de les résoudre. Les nombres 7, 5 et 89 sont arbitraires ici, et tu as dû les prendre au hasard. Etant donné un nombre A arbitraire, il existe un nombre X qui donne le répété de AX, et un nombre X qui donne le retourné de AX et enfin un nombre X qui donne l'associé de X. Mais on peut aussi trouver un X qui donne le répété du retourné de AX, ou le retourné de l'associé de AX. D'une façon générale, si on se donne un nombre A et un opérateur M, il existe un nombre X qui donne M(AX) c'est-à-dire le résultat de l'opération M appliquée à AX. »

## 24

Comme toujours Craig avait raison. *Etant donnés un opérateur M et un nombre A quelconques, il existe un nombre X qui donne M(AX).* Nous appellerons ce principe *La Deuxième Loi de Craig.* Comment peut-on prouver cette loi, et comment trouver X, si les nombres M et A sont donnés ?

## 25

« Je viens de penser à une autre question, fit McCulloch. Si X est un nombre quelconque, je vais noter $\overline{X}$ son retourné. Peux-tu trouver un nombre X qui donne $\overline{X}67$, autrement dit, un nombre qui donne son retourné suivi d'un 6 et d'un 7 ? Plus généralement peut-on toujours trouver un nombre X qui donne $\overline{X}A$, le nombre A étant fixé à l'avance ?

## 26

« Encore une question, poursuivit McCulloch. Existe-t-il un nombre qui donne le répété de $\overline{X}67$ ? Plus généralement, un nombre A arbitraire étant donné, peut-on trouver un X qui donne le répété de $\overline{X}A$ ? Et encore plus généralement, existe-t-il un X qui donne $M(\overline{X}A)$ ? »

*Commentaires.* La Loi de Craig s'applique non seulement à sa deuxième machine, mais aussi à la première, et plus généralement, à toute machine qui obéit aux Règles 1 et 2.

La Première Loi de Craig est liée à un résultat célèbre de la théorie des Fonctions calculables, connu sous le nom de *Théorème de Récursion* (ou parfois de *Théorème de Point fixe*). Les Règles 1 et 2 de McCulloch sont, je pense, les plus simples parmi celles qui aboutissent à un tel résultat. Elles ont encore une propriété surprenante (liée à un autre résultat célèbre de la théorie des Fonctions calculables connu sous le nom de *Théorème de récurrence simultanée*) qui sera expliqué au prochain chapitre. Tout ceci a un rapport avec le clonage et l'étude des machines qui se reproduisent d'elles-mêmes.

## ❧ SOLUTIONS ❧

**1 .** « Il y a une infinité de nombres qui ressortent sans modification de ta nouvelle machine après qu'on les ait introduits. »

« C'est vrai, mais comment peux-tu le prouver ? » fit McCulloch.

« Je dirai qu'un nombre S est *associant* s'il a la propriété suivante : quel que soit X donnant Y, le nombre SX donne l'associé de Y. Avant d'ajouter la Règle 3, seul le nombre 3 était associant, mais il y en a une infinité pour la nouvelle machine et si S est associant le nombre S2S se donne lui-même puisque S2S donne l'associé de S, qui n'est autre que S2S. »

« Pour que ton raisonnement soit complet il faudrait démontrer qu'il existe une infinité de nombres associants », fit remarquer McCulloch.

« C'est vrai, mais c'est facile ! Si X donne Y, es-tu d'accord que 44X donne aussi Y ? »

« Ça c'est astucieux ! s'exclama McCulloch. En effet, si X donne Y, 4X donne le retourné de Y, et 44X donne le retourné du retourné de Y, c'est-à-dire Y lui-même. »

« Alors, si X donne Y, 44X aussi donne Y, et le nombre 344X donne l'associé de Y ; par conséquent 344 est associant et 3442344 ressort de la machine sans modification ! »

« C'est excellent, s'écria McCulloch, mais cela ne fait que deux nombres ayant cette propriété et tu as dit qu'il en existait une infinité. Où sont les autres ? »

« Si S est associant, il en est de même de S44. En effet, si X donne Y, alors 44X donne Y et S44X donne le retourné de Y, puisque S est associant. Comme 3 est associant, 344 l'est aussi, ainsi que 34444, et plus généralement tout nombre formé d'un 3 suivi d'un nombre pair de 4. Il y a donc une infinité de nombres qui ressortent sans modification : 323 ; 3442344 ; 34444234444 ; etc. Tu remarqueras qu'il y en a d'autres, car 443 ou 44443 ou 4434444 ou plus généralement un nombre pair de 4 suivi d'un 3 puis d'un nombre pair de 4, est un nombre associant, et si S est un tel nombre, S2S répond à la question. »

**2 .** Le nombre 43243 est une solution de ce problème, car 243 donne 43, donc 3243 donne l'associé de 43, et 43243 donne le retourné de l'associé de 43, autrement dit le retourné de 43243. Donc 43243 donne son propre retourné.

Le lecteur peut se demander si 43243 a été trouvé par une étude de la longueur des nombres, comme au chapitre précédent. Eh bien non, c'est une technique qui ne convient pas à cette machine. Les explications viendront au moment où l'on démontrera la Loi de Craig.

**3 .** Le nombre 3432343 est une solution possible, nous laissons au lecteur le soin de le vérifier. Une fois encore ce nombre a été trouvé grâce à la Loi de Craig.

**4 .** Essayez 53253.

**5 .** 4532453 convient (il a été trouvé grâce à la Loi de Craig).

**6 .** 5432543 convient, (toujours d'après la Loi de Craig).

**7 .** C'est évident quand on connaît un nombre X qui se donne lui-même, car 5X donne le répété de X. Par exemple 5323 donne le répété de 323.

**8 .** 5332533 est une solution donnée une fois encore par la Loi de Craig.

**9 .** 3532353 est une solution trouvée elle aussi par la Loi de Craig (à propos, j'espère que votre intérêt pour cette loi est à son apogée).

**10 .** On a 5(5) = 55, car 5(5) est le répété de 5. Nous prenons donc M = 5 et X = 5 (je n'ai jamais dit que M et X devaient être différents !)

**11 .** On a 4(4) = 4, puisque 4(4) est le retourné de 4. Donc M = 4 est une solution. En fait, toute succession de 4 conviendrait.

**12 .** M = 3 et X = 2.

**13 .** 4(6) = 6 et 6 = 4 + 2, d'où 4(6) = 4 + 2. Donc M = 4 et X = 2.

**14 .** M = 55 et X = 55.

**15 .** M = 4 et N = 44.

**16 .** M = 5 et N = 55.

**17 .** M = 5 et N = 4.

**18 .** M = 3 et N = 5.

**19 .** M = 54 et N = 45.

**20 .** Soit M un opérateur. D'après la Propriété 1, si Y donne Z, on sait que MY donne M(Z). Par conséquent, si Y donne MY, on voit, en remplaçant Z par MY, que MY donne M(MY), et MY est le nombre X cherché ! Le problème se ramène donc à trouver un nombre Y qui donne MY, mais nous avons vu comment faire au chapitre précédent, à propos de la Loi de McCulloch ; il suffit de prendre Y = 32M3. On a donc X = M32M3 ! Vérifions ; puisque 2M3 donne M3, le nombre 32M3 donne M32M3 l'associé de M3, et par conséquent M32M3 donne M(M32M3), autrement dit, X donne M(X), et la Loi de Craig est démontrée.

Nous pouvons passer aux applications. Pour trouver un nombe X qui donne le répété de X, il suffit de prendre 5 pour M et on a aussitôt la solution X = 53253 ; pour trouver un nombre X qui donne son propre retourné, il suffit de prendre M = 4 et l'on obtient X = 432432 ; enfin pour avoir un nombre X qui donne l'associé de son répété il suffit de prendre M = 34 et dans ce cas X = 3432343.

Pour résoudre le premier problème de McCulloch, trouver X qui donne le répété du retourné de son associé, on pose M = 543 (5 pour le répété, 4 pour le retourné et 3 pour l'associé), ce qui donne X = 543325433. Pour le second problème M = 354 et X = 354323543.

Avouez que cette Loi de Craig est vraiment merveilleuse !

**21.22.23.24** . Les problèmes 21, 22 et 23 sont des cas particuliers du problème 24, c'est pourquoi nous le résoudrons en premier.

Un nombre A et un opérateur M sont donnés et nous cherchons un nombre X donnant M(AX). Cette fois l'astuce consiste à trouver un nombre Y qui ne donne pas MY mais AMY, et on voit facilement que 32AM3 convient. Puisque Y donne AMY, d'après la propriété 1, le nombre MY donne M(AMY) et il suffit de prendre X = MY pour que X donne M(AX). La solution est donc X = M32AM3.

Nous pouvons appliquer ce résultat au problème 21 en remarquant que 7X7X est le répété de 7X. Nous cherchons donc un nombre X qui donne le répété de AX avec A = 7 ; ici M = 5, puisque 5 commande l'opération de répétition, et la solution est X = 532753. Pour le problème 22, le nombre A vaut 9 et M vaut 4 ; la solution est X = 432943. Enfin, pour le problème 23, nous avons A = 89 et M = 3, ce qui donne X = 3328933.

**25** . Oui, quel que soit A le nombre $\overline{X}$ = 432$\overline{A}$43 donne $\overline{X}$A. Dans le cas particulier où A = 67, le nombre $\overline{A}$ est 76 et la solution est 4327643.

**26** . Dans le cas général l'astuce consiste à remarquer que $\overline{X}$A est le retourné de $\overline{A}$X, donc M($\overline{X}$A) = M4($\overline{A}$X), et d'après la Deuxième Loi de Craig, le nombre X = 432$\overline{A}$M43 donne M4($\overline{A}$X). Quand M = 5 et A = 67, le nombre X = 543276543 donne bien le répété de $\overline{X}$67, comme le lecteur le vérifiera facilement.

# 11
# Les
# découvertes
# de
# Fergusson

Nous arrivons à ce qui est le plus remarquable dans les machines de
McCulloch. Quelque temps après la visite de Craig, notre inventeur reçut
la lettre suivante :

*Mon cher McCulloch*

*Tes machines m'intriguent toujours beaucoup. J'en ai longue-
ment discuté avec mon ami Malcom Fergusson. Je ne sais pas si
tu le connais ou si tu en as entendu parler. Il est l'auteur de beaux
travaux en Logique, et il a construit des machines qui ne sont pas
sans rappeler les tiennes. Mais il se passionne pour beaucoup d'autres choses, notamment pour certains problèmes d'échecs qui font
partie de ce qu'on appelle l'Analyse rétrograde. La semaine dernière, j'ai été le voir et je lui ai parlé de tes problèmes ; il s'est jeté
dessus. Je l'ai revu hier et nous en avons reparlé. Il pense que tes
deux machines possèdent d'autres propriétés que leur inventeur ne
semble pas avoir remarquées (je le cite !). Malgré mes questions,
il est resté plutôt évasif, prétextant qu'il avait encore besoin de réfléchir avant de se prononcer définitivement. Je l'ai invité à dîner ven-*

*dredi ; veux-tu te joindre à nous ? Je suis sûr que vous aurez beau-
coup de choses à vous dire, surtout d'ici-là, il a trouvé ce qu'il cherche à propos des deux machines.
Dans l'espoir de te voir,*

*Amicalement*

*L. Craig*

McCulloch répondit immédiatement :

*Cher Craig*

*Je ne connais pas Fergusson, mais j'en ai beaucoup entendu par-
ler. On m'a dit qu'il avait été étudiant de Gottlob Frege, est-ce vrai ?
On m'a dit aussi qu'il travaille actuellement sur les fondement des
Mathématiques. Tout cela ajouté à l'intérêt qu'il porte à mes machines me donne une envie furieuse de le rencontrer. C'est pourquoi
je te suis grandement reconnaissant de ton invitation, que j'accepte
avec joie. A vendredi donc.*

*Bien à toi.*

*McCulloch.*

Pour ses deux amis, Craig mis les petits plats dans les grands. Il leur servit un repas de gourmets préparé avec soin par Madame Hoffman, sa logeuse. La discussion que chacun attendait commença aussitôt après le café.

« Craig m'a dit que vous aviez construit des machines logiques, fit McCulloch, pourriez-vous m'en indiquer le principe ? »

« Il y aurait beaucoup à dire là-dessus, répondit Fergusson, d'autant plus que je n'ai pas encore compris un point capital de leur fonctionnement. Mais le mieux serait que vous veniez visiter mon atelier ; avec mes machines sous les yeux, nous serions plus à l'aise pour en discuter. Si vous le voulez bien, ce soir je préférerais parler des vôtres. Comme je l'ai dit à Craig il y quelques jours, je les soupçonne d'avoir des proprié-tés dont vous ne vous êtes pas aperçu. »

« Lesquelles ? » demanda McCulloch avec curiosité.

# 1

« Eh bien, commençons par votre seconde machine. Il existe des nombres X et Y tels que X donne le retourné de Y et Y donne le répété de X. Voyez-vous lesquels ? »

Craig et McCulloch se jetèrent avec avidité sur ce problème, mais sans parvenir à quoi que ce soit. Pourtant le problème a une solution qu'un lecteur courageux peut essayer de trouver. Il y a derrière cette question un principe qui sera exposé plus loin dans ce chapitre, et qui, une fois qu'on le connaît, rend le problème désarmant de simplicité.

# 2

« Je n'en reviens pas, fit Craig après que Fergusson leur ait dit combien valaient X et Y. Je vois bien que ça marche, mais comment les avez-vous trouvés ? Etes-vous tombé dessus par hasard ou avez-vous une méthode qui les donne ? Pour l'instant il me semble que c'est de la sorcellerie ! »

« Parfaitement, ajouta McCulloch, j'ai l'impression que vous avez sorti un lapin d'un chapeau ! »

« C'est exactement ça, fit Fergusson, qui était ravi d'avoir mystifié ses amis, à ceci près que j'ai sorti deux lapins du chapeau et qu'ils ont un drôle d'effet l'un sur l'autre. »

« Oui, reprit Craig, mais comment avez-vous su quels lapins il fallait sortir ? »

« Bonne question, excellente question ! s'écria Fergusson au comble de la jubilation. Je vais vous en poser une autre. Trouvez deux nombres X et Y tels que X donne le répété de Y et Y donne le retourné de l'associé de X. »

« C'est trop dur ! » s'exclama McCulloch avec découragement.

« Un moment, fit Craig, je crois avoir une idée. J'ai l'impression que vos problèmes sont des cas particuliers du suivant : étant donnés deux opérateurs M et N quelconques, trouver deux nombres X et Y tels que X donne M(Y) et Y donne N(X) ; c'est bien ça, ou est-ce que je me trompe ? »

« Vous avez deviné juste, reconnut Fergusson, et c'est pour cela qu'on peut résoudre un problème comme : trouver X et Y tels que X donne le deuxième associé de Y et Y donne le répété du retourné de X, ou n'importe quoi d'autre ! »

« C'est merveilleux ! s'écria McCulloch en éclatant de rire. Figurez-vous que ces jours-ci j'ai cherché en vain à construire une nouvelle machine qui posséderait cette propriété, sans savoir que je l'avais déjà ! »

« Oh, oui, fit Fergusson, je vous certifie que vous l'avez, cette machine. »

« Mais comment le prouver ? » demanda McCulloch.

« Je vais vous le démontrer progressivement. Ce sont vos Règles 1 et 2 qui sont au cœur du problème. Commençons par une remarque à propos de votre première machine, celle qui ne connaissait que ces deux règles. Il existe deux nombres X et Y tels qu'avec cette machine X donne Y et Y donne X. Voyez-vous lesquels ? »

Craig et McCulloch se jetèrent sur le problème.

« Bien sûr s'écria Craig, c'est évident si l'on se souvient de ce que McCulloch m'a appris il y a quelques semaines. »

Que valent X et Y ?

# 3

« Continuons, dit Fergusson, visiblement satisfait de ses amis. Etant donné un nombre A quelconque, il existe X et Y tels que X donne Y et Y donne AX. Pouvez-vous les trouver si l'on vous donne A ? Par exemple, donnez-moi deux nombres X et Y tels que X donne Y et Y donne 7X. »

« Sommes-nous toujours limités aux Règles 1 et 2, demanda Craig ou avons-nous le droit aussi aux deux autres ? »

« Vous n'avez besoin que des deux premières. »

Craig et McCulloch se mirent à chercher et assez rapidement l'inspecteur découvrit une solution.

# 4

« Tout en t'écoutant, j'ai trouvé une autre solution », fit McCulloch. Voyez-vous laquelle ?

# 5

« A présent, fit Fergusson, j'en viens à une propriété fondamentale. Toujours en n'utilisant que les Règles 1 et 2, on peut montrer qu'étant donnés deux nombres A et B quelconques, il existe X et Y tels que X donne AY et Y donne BX. Par exemple il existe X et Y tels que X donne 7Y et Y donne 8X. Pouvez-vous les trouver ? »

# 6

Fergusson poursuivit : « On déduit facilement du dernier problème, ou plus simplement encore de la Deuxième Loi de Craig, qu'étant donnés deux opérateurs M et N, il existe X et Y tels que X donne M(Y) et Y donne N(X). Ceci est vrai non seulement pour vos machines mais aussi pour toutes celles qui obéissent aux Règles 1 et 2. Ainsi, vous pouvez-trouver X et Y tels que X donne le retourné de Y et Y donne l'associé de X. Quels sont-ils ? »

# 7

« Voilà le mystère éclairci, fit McCulloch après que Craig eut fini de répondre à Fergusson, mais il reste encore une question en suspens. Existe-t-il un analogue de la Deuxième Loi de Crai, à savoir : étant donnés deux opérateurs M et N et deux nombres A et B quelconques, peut- on toujours trouver deux nombres X et Y tels que X donne M(AY) et Y donne N(BX) ? »
« Bien sûr, répondit Fergusson, par exemple il existe X et Y tels que X donne le répété de 7Y et Y donne le retourné de 89X. »
Quels sont ces nombres ?

# 8

« Je viens de penser à une autre question, fit Craig. Etant donnés un opérateur M et un nombre B, existe-t-il X et Y tels que X donne M(Y) et Y donne BX ? Par exemple, des nombres X et Y tels que X donne l'associé de Y et Y donne 78X ? »

Quels sont ces nombres ?

# 9

« En fait, bien d'autres combinaisons sont envisageables, ajouta Fergusson. Etant donnés deux nombres A et B et deux opérateurs M et N quelconques, chacune des conditions suivantes peut être vérifiée par des nombres X et Y :

    (a) X donne M(AY) et Y donne N(X),
    (b) X donne M(AY) et Y donne BX,
    (c) X donne M(Y) et Y donne X,
    (d) X donne M(AY) et Y donne X.

Comment démontrer cette affirmation ?

# 10 - De deux on passe à trois et plus encore !

« A présent j'imagine que nous avons épuisé toutes les possibilités », fit Craig.

« Détrompez-vous, répondit Fergusson, nous n'en sommes qu'au début. Imaginez qu'il existe des nombres X, Y et Z tels que X donne le retourné de Y, alors que Y donne le répété de Z et Z donne l'associé de X ? »

« C'est pas vrai ! » fit McCulloch d'un ton où se mêlaient l'admiration et le découragement.

« Mais si, confirma Fergusson, étant donnés trois opérateurs M, N et P, il existe toujours des nombres X, Y et Z tels que X donne M(Y), Y donne N(Z) et Z donne P(X). »

Pouvez-vous démontrer cette propriété, et en particulier trouver X, Y et Z tels que X donne le retourné de Y, Y donne le répété de Z et Z l'associé de X ?

« Bien sûr, continua Fergusson après que nos amis aient donné la solution, ce problème *à trois* possède toutes sortes de variantes. Par exemple étant donnés trois opérateurs M, N et P et trois nombres A, B, C

115

il existe X, Y et Z tels que X donne M(AY), Y donne N(BZ) et Z donne P(CX). On peut même enlever un ou deux des nombres A, B et C. Pareillement on peut trouver X, Y et Z tels que X donne AY, Y donne M(Z) et Z donne N(BX); toutes sortes de variantes sont possibles.

Les mêmes résultats se retrouvent avec quatre opérateurs. Par exemple, vous pouvez trouver quatre nombres X, Y, Z, et W tels que X donne 78Y, Y donne le répété de Z, Z donne le retourné de W et W donne l'associé de 62X. Les possibilités sont vraiment infinies et sont toutes le fruit des Règles 1 et 2. C'est surprenant n'est-ce pas ? »

## ❧ SOLUTIONS ❧

**1** . On peut prendre X = 4325243 et Y = 524325243. Puisque 25243 donne 5243, le nombre 325243 donne 524325243, l'associé de 5243, qui n'est autre que Y. Du coup le nombre X = 4325243 donne le retourné de Y. Bien évidemment, Y donne le répété de X car Y est 52X et 2X donne X. Il en résulte qu'avec ce choix de X et Y nous avons une solution du problème.

**2** . Craig faisait allusion à la Loi de McCulloch. Grâce à celle-ci, il savait qu'étant donné un nombre A, le nombre X = 32A3 donne AX. En particulier si l'on prend A = 2, le nombre X = 3223 donne 2X et, comme 2X donne X, il suffit de prendre X = 3223 et Y = 23223 pour avoir une solution.

**3** . Craig comprit qu'il suffisait de trouver un nombre X donnant 27X, car en posant Y = 27X on obtient que X donne Y et Y donne 7X. Par sa méthode il savait que ce nombre X valait 32273. Il avait donc la solution X = 32273 et Y = 2732273.

Bien sûr le nombre 7 n'a rien de particulier dans ce problème et n'importe quel autre nombre pourrait le remplacer. Ainsi, en posant X = 322A3 et Y = 2A322A3, le nombre X donne Y et Y donne AX.

**4** . Pour sa part, McCulloch raisonna de la façon suivante. Si l'on trouve un Y qui donne 72Y, il suffit de poser X = 2Y, pour que X donne Y et Y donne 7X. On peut prendre Y = 32723, ce qui donne la solution X = 232723 et Y = 32723.

**5** . Il sufit de trouver un nombre X qui donne A2BX, car en posant Y = 2BX on aura : X donne AY et Y donne BX. Le nombre X = 32A2B3 donne A2BX, d'où la solution X = 32A2B3 et Y = 2B32A2B3. Dans le cas particulier où A = 7 et B = 8, on obtient ainsi : X = 327283 et Y = 28327283.

**6** . Nous allons d'abord résoudre ce problème en utilisant la Deuxième Loi de Craig qui dit, rappelons-le, qu'étant donnés un nombre A et un opérateur M, le nombre X = M32AM3 donne M(AX). Considérons alors deux opérateurs M et N. En prenant N2 pour A dans les formules précédentes, le nombre X = M32N2M3 donne M(N2X), et comme N2X donne N(X), il suffit de prendre Y = N2X pour avoir la solution. En résumé, si X = M32N2M3 et Y = N2M32N2M3 nous avons : X donne M(Y) et Y donne N(X). Dans le cas particulier où M = 4 et N = 3 la solution est X = 4323243 et Y = 324323243 ; le lecteur vérifiera directement que X donne le retourné de Y et Y donne l'associé de X.

Mais on peut résoudre ce problème d'une autre façon. D'après les résultats du problème 5 nous savons qu'il existe des nombres Z et W tels que Z donne NW et W donne MZ, ce sont Z = 32N2M3 et W = 2M32N2M3. D'après la Propriété 1 du chapitre précédent, MZ donne M(NW) et NW donne M(N(MZ)) ; donc si nous choisissons MZ pour X et NW pour Y, le nombre X donne M(Y) et Y donne N(X). Ainsi nous obtenons la solution X = M32N2M3 et Y = N2M32N2M3.

**7** . D'après la Deuxième Loi de Craig le nombre X = M32AN2BM3 donne M(AN2BX). Si l'on prend Y = N2BX, alors : X donne M(AY) et Y donne N(BX). On a donc la solution X = M32AN2BM3 et Y = N2BM32AN2BM3. Pour l'exemple proposé il suffit de prendre M = 5, N = 4, A = 7, B = 89.

**8** . D'après la Deuxième Loi de Craig le nombre X = M322BM3 donne M(2BX). En posant Y = 2BX, alors : X donne M(Y) et Y donne BX. Pour l'exemple proposé on a M = 3 et B = 78, ce qui donne X = 33227833 et Y = 27833227833.

**9** . (a) Il suffit de prendre un nombre X qui donne M(AN2X) et de poser Y = N2X ; c'est pourquoi X = M32A2B3 et Y = N2M32AN23 sont tels que X donne M(AY) et Y donne N(X).

(b) On prend un X qui donne M(A2BX) et Y = 2BX, ce qui donne X = M32A2B3 et Y = 2BM32A2B3.

(c) Si X donne M(Y) et Y = 2X, nous avons la solution ; il suffit donc de prendre X = M322M3 et Y = 2M322M3.

(d) Si X donne M(AY) et Y = 2X, nous avons une solution ; c'est pourquoi il suffit de prendre X = M32A2M3 et Y = 2M32A2M3.

**10** . D'après la Deuxième Loi de Craig le nombre X = M32N2P2M3 donne M(N2P2X). Si l'on pose Y = N2P2X on obtient que X donne M(Y). Avec Z = P2X on a Y = N2Z et Y donne N(Z). Enfin, Z donne P(X). Par conséquent la solution est explicitement X = M32N2P2M3, Y = N2P2M32N2P2M3, Z = P2M32N2P2M3. Dans l'exemple proposé on a X = 432523243, Y = 52324232523243 et Z = 32432523243 ; le lecteur vérifiera directement que X donne le retourné de Y, Y donne le répété de Z et Z donne l'associé de X.

On peut raisonner autrement. Etant donnés trois nombres A, B, C quelconques il existe des nombres U, V, W tels que U donne AV, V donne BW et W donne CU. Il suffit de prendre pour U un nombre qui donne A2B2CU (avec la Deuxième Loi de Craig, U = 32A2B2C3) puis de poser V = 2B2CU et W = 2CU. Si A, B et C sont des opérateurs, en prenant X = AV, Y = BW et Z = CU on obtient que X donne A(Y), Y donne B(Z) et Z donne C(X), d'où une autre façon de résoudre le problème 10.

# 12
# Interlude : Généralisons, Généralisons !

Deux jours après cette soirée mémorable, Scotland Yard envoya soudainement Craig en Norvège pour une mission fort importante. Comme elle ne nous concerne pas, j'en profiterai pour vous confier mes impressions sur les machines de McCulloch. Naturellement si vous n'en pouvez plus d'attendre l'ouverture du coffre qui est toujours bloqué à Monte Carlo, remettez la lecture de ce chapitre à plus tard.

Les mathématiciens aiment bien généraliser ! C'est inévitable, quand un mathématicien X démontre un théorème, six mois plus tard il y a un mathématicien Y qui se dit : « Evidemment X a démontré un beau théorème mais, moi, je peux le démontrer dans toute sa généralité ! » et il publie alors un article intitulé « Une généralisation du Théorème de X. » Il se peut même que Y soit plus rusé ; il commence par généraliser le Théorème de X pour lui tout seul, puis il cherche un cas particulier du théorème général, qui ne fasse pas penser à celui étudié par X, et il le publie ; comme cela, il est l'auteur d'un théorème qui paraît original. Bien sûr, dès ce moment un mathématicien Z est poursuivi par le sentiment qu'une idée commune se cache sous les Théorèmes de X et de Y, et après beaucoup de travail il découvre enfin la propriété générale dont ces deux théorèmes résultent. Il publie alors un article dans lequel il énonce et démontre cette propriété et il remarque : « Les Théorèmes de X et de Y sont des cas particuliers de mon théorème, ce qu'on peut démontrer de la façon suivante... »

Moi aussi, je suis comme ces mathématiciens car je vais m'intéresser à certaines propriétés des machines de McCulloch que ni lui, ni Craig, ni Fergusson ne semblent avoir remarquées.

119

La première chose qui m'a frappé quand j'ai relu les chapitres consacrés à la deuxième machine de McCulloch, c'est qu'avec la Règle 4, on n'a plus besoin de la Règle 2 pour obtenir les Lois de Craig et de Fergusson. En effet, si l'on a une machine qui obéit aux Règles 1 et 4, il existe un nombre qui se donne lui-même, un nombre qui donne son répété, un nombre X qui donne AX, un nombre X qui donne le répété de AX ou le répété du répété de AX. Si l'on suppose toujours que la machine obéit aux Règles 1 et 4, mais pas nécessairement à la Règle 2, il existe un nombre qui donne son retourné, ou le répété de son retourné ou un nombre X qui donne le retourné de AX ou le répété du retourné de AX. Considérons aussi une machine qui obéit aux Règles 1, 2 et 4, mais pas nécessairement à la Règle 3 ; avec cette machine, il y a deux façons de construire un nombre qui donne son propre associé ; deux façons de construire un nombre qui donne son répété ; deux façons de construire un nombre qui donne l'associé de son répété ou le répété de son associé.

Finalement, les Lois de Craig et de Fergusson sont valables pour toute machine obéissant aux Règles 1 et 4. Il en résulte qu'on peut donner une autre solution à la plupart des problèmes des deux chapitres précédents en utilisant la Règles 4 au lieu de la Règle 2. Si vous ne voyez pas pourquoi, vous l'apprendrez ci-dessous. Je pourrais en dire beaucoup plus, mais je préfère énoncer mes observations de façon concise.

*Affirmation 1 :* De même qu'une machine obéissant aux Règles 1 et 2 obéit à la Loi de McCulloch (quel que soit A il existe un nombre X qui donne AX), toute machine obéissant aux Règles 1 et 4 obéit à la Loi de McCulloch.

*Affirmation 2 :* Toute machine obéissant à la Loi de McCulloch obéit aux deux Lois de Craig.

*Affirmation 3 :* Toute machine obéissant à la Deuxième Loi de Craig et à la Règle 1 obéit aussi à toutes les Lois de Fergusson.

Pouvez-vous démontrer ces affirmations ?

## ❧ SOLUTIONS ❧

Considérons une machine obéissant aux Règles 1 et 4. Pour tout X le nombre 52X donne XX, par conséquent 5252 donne 5252 et nous avons un nombre qui se donne lui-même. Le nombre 552552 donne son propre répété et l'on en déduit que le nombre X = 52A52 donne AX (le nombre X = 552A552 donne le répété de AX). Par conséquent l'affirmation 1 est démontrée.

Considérons à présent une machine obéissant aux Règles 1, 3 et 4. Le nombre 452452 donne son propre retourné (on avait trouvé auparavant que le nombre 43243 avait cette propriété), et le nombre 54525452 donne le répété de son retourné (on avait trouvé 5432543).

Pour une machine obéissant aux Règles 1, 2 et 4 le nombre 33233 donne son propre associé, tout comme 352352. Nous connaissons deux nombres qui donnent leurs répétés, ce sont 35235 et 552552. Les nombres 3532353 et 35523552 donnent l'associé de leur répété. Enfin les nombres 5332533 et 53525352 donnent le répété de leur associé.

Avec une machine qui obéit aux Règles 1 et 4 le nombre X = M52M52 donne M(X), quel que soit M (nous avions trouvé M32M3 avec la Règle 2 au lieu de la Règle 4). De même le nombre X = M52AM52 donne M(AX) (nous avions M32AM3). Ceci démontre qu'à partir des Règles 1 et 4 on retrouve les deux Lois de Craig. Mais j'ai affirmé, et c'est l'affirmation 2, que la Loi de McCulloch suffit à elle seule pour entraîner ces lois. On peut le démontrer comme au chapitre 10 ; étant donné un opérateur M il existe un nombre Y qui donne MY ; par conséquent MY donne M(MY) et il suffit de poser X = MY pour que X donne M(X). De même, il existe un nombre Y qui donne AMY, et MY donne M(AMY) ; il suffit de poser X = MY pour que X donne M(AX).

Enfin l'affirmation 3 peut être démontrée comme dans le dernier chapitre ; étant donnés deux opérateurs M et N, si les Lois de Craig sont vérifiées, il existe un nombre X qui donne M(N2X) et en posant Y = N2X nous avons : X donne M(Y) et Y donne N(X).

# 13
# La
# combinaison
# gagnante

En Norvège, l'enquête de Craig dura moins longtemps que prévu et trois semaines après son départ, il était de retour. En dépouillant son courrier il tomba sur le billet suivant :

*Mon cher Craig,*

*Si par hasard tu lis ce message avant le vendredi 12 mai, sache que tu me ferais extrêment plaisir en venant dîner ce jour-là. J'ai invité Fergusson aussi.*

*Bien à toi,*

*McCulloch*

« Voilà une bonne idée, pensa Craig, et j'y serai juste à temps. » Le vendredi soir, lorsqu'il arriva chez son ami, Fergusson était déjà là.
« Bonsoir, entre et installe-toi », fit joyeusement McCulloch, heureux de revoir Craig.
« Savez-vous la nouvelle ? s'exclama Fergusson. Pendant votre absence McCulloch a construit une nouvelle machine ! »

« Vraiment ! »

« Je n'en suis pas le seul auteur, précisa McCulloch, car Fergusson m'a beaucoup aidé. Cette machine est extrêmement intéressante. Elle obéit à quatre règles :

*M-I : Pour tout nombre X, 2X2 donne X,*
*M-II : Si X donne Y, alors 6X donne 2Y,*
*M-III : Si X donne Y, alors 4X donne $\overline{Y}$, le retourné de Y, comme le faisait la machine précédente,*
*M-IV : Si X donne Y, alors 5X donne YY, le répété de Y, comme le faisait aussi la machine précédente.*

« Il est à noter, poursuivit McCulloch, qu'elle a toutes les propriétés des machines précédentes, en particulier elle obéit à tes deux lois et à celles de Fergusson. »

Craig prit une feuille de papier et réfléchit un long moment à ce qu'on venait de lui dire, mais finalement il posa son crayon en déclarant : « Je ne vois pas pourquoi, et je ne parviens même pas à trouver un nombre qui se donne lui-même. Y en a-t-il ? »

« Bien sûr, répondit McCulloch, mais ils sont plus difficiles à découvrir que ceux des anciennes machines. Pour dire la vérité, moi non plus, je n'en ai pas trouvé, c'est Fergusson qui y est arrivé, et son plus petit nombre a dix chiffres. »

Craig reprit sa réflexion. « J'ai l'impression que les deux premières règles ne suffisent pas pour trouver un tel nombre, est-ce que je me trompe ? »

« Non, répondit McCulloch, tu as vu juste, les quatre règles sont indispensables. »

« C'est fort ! » fit Craig, qui s'abîma à nouveau dans sa méditation. Tout à coup, il bondit hors de son fauteuil en criant : Dieu tout puissant ! Cette machine ouvre le coffre ! »

« Expliquez-vous ! Que voulez-vous dire ? » fit Fergusson.

« C'est vrai, vous n'êtes pas au courant ». Et Craig leur expliqua l'affaire du coffre bloqué dans la banque de Monte-Carlo mais après leur avoir fait jurer de garder le secret.

« A présent, si vous me montrez un nombre qui se donne lui-même, je pourrai ouvrir le coffre ! »

Ami lecteur, vous avez trois problèmes à résoudre :
*(1) Déterminer un nombre X qui se donne lui-même.*
*(2) Quelle combinaison ouvre le coffre ?*
*(3) Quel rapport y a-t-il entre les deux premières questions ?*

# EPILOGUE

Le lendemain matin, Craig envoyait à Monte-Carlo un homme ayant toute sa confiance, qu'il chargea d'apporter la combinaison. Le coffre fut ouvert à temps, et sans incident.

Le Conseil d'administration de la Banque décida de récompenser fortement Craig pour l'avoir tiré d'un bien mauvais pas, mais l'inspecteur insista beaucoup pour partager cette somme avec McCulloch et Fergusson, sans qui il n'aurait peut-être jamais ouvert le coffre. Ils fêtèrent tous les trois l'heureux dénouement de cette aventure dans un restaurant très renommé de Londres. Tout en dégustant un excellent sherry, Craig remarqua : « C'est une des affaires qui m'a le plus passionné. Mais ne trouvez-vous pas surprenant qu'une machine inventée dans le seul but de divertir l'esprit ait pu avoir une utilisation pratique si inattendue ? »

## ❦ SOLUTIONS ❦

Permettez-moi d'abord de revenir sur le système d'ouverture du coffre. Dans la Propriété S, trouvée par Maxime Legrand, rien n'interdit à $x$ et $y$ d'être les mêmes combinaisons. Dans ce cas l'assertion devient : « Si $x$ est relié à $x$, et si $x$ bloque le coffre, alors $x$ est neutre ; au contraire, si $x$ est neutre, $x$ bloque le coffre. » Or il n'est pas possible qu'à la fois $x$ soit neutre et bloque le coffre. Par conséquent, quand $x$ est relié à $x$, il n'est pas neutre et il ne bloque pas le coffre, c'est donc qu'il l'ouvre ! Il en résulte que toute combinaison reliée à elle-même ouvre le coffre.

Craig avait déjà fait cette remarque, à Monaco, mais avant de tomber sur la troisième machine de McCulloch, il n'avait pas réussi à découvrir une combinaison ayant cette propriété.

Comme on va le voir, trouver une combinaison reliée à elle-même, revient à trouver un nombre qui se donne lui-même avec la troisième machine de McCulloch. La différence entre les deux problèmes est que les combinaisons sont des successions de lettres alors que les nombres sont des successions de chiffres, mais il existe une recette simple pour passer de l'un à l'autre ; la voici.

Les seules combinaisons intéressantes sont celles qui n'utilisent que les lettres Q, L, V, R car les propriétés découvertes par Maxime Legrand montrent clairement que les autres lettres ne jouent aucun rôle. Supposons qu'au lieu d'employer ces lettres, nous utilisions les chiffres 2 pour Q, 6 pour L, 4 pour V, et 5 pour R (c'est une sorte de code). Ecrivons la correspondance avec soin pour mieux nous la rappeler :

| Q | L | V | R |
|---|---|---|---|
| 2 | 6 | 4 | 5 |

Maintenant examinons ce que deviennent les propriétés de Maxime Legrand quand on remplace les lettres par les chiffres comme il vient d'être dit.

(1) Pour tout nombre X, 2X2 est relié à X.

(2) Si X est relié à Y, alors 6X est relié à $\underline{2Y}$.

(3) Si X est relié à Y, alors 4X est relié à $\overline{Y}$.

(4) Si X est relié à Y, alors 5X est relié à YY.

Nous constatons qu'il s'agit exactement des conditions de la nouvelle machine de McCulloch, à un détail près, l'expression *est relié à* remplace le mot *donne*. (J'aurais pu employer *donne* quand j'ai énoncé les propriétés de Maxime Legrand, mais je ne voulais pas vous mettre la puce à l'oreille !»

Il résulte de ceci que la correspondance entre les deux problèmes est parfaite, et résoudre l'un revient à résoudre l'autre.

Nous pouvons même être encore plus précis. Si $x$ désigne une combinaison, on peut noter $x'$ le nombre obtenu en remplaçant, à chaque fois qu'on les rencontre, Q par 2, L par 6, V par 4 et R par 5. Par exemple, quand $x$ est la combinaison VQRLQ on a $x' = 42562$. Nous appelerons $x'$ le code de $x$. (L'idée consistant à remplacer des expressions par des nombres est due au logicien Kurt Gödel ; désignée sous le nom de *numérotation de Gödel*, elle est très utile, comme on le verra dans la quatrième partie du livre.)

La propriété capitale permettant de résoudre le problème du coffre grâce à la machine de McCulloch est la suivante. Etant données deux combinaisons $x$ et $y$ formées des lettres Q, L, V, R, si le nombre $x'$ donne $y'$, alors $x$ est reliée à $y$, et réciproquement, si $x$ est relié à $y$, le nombre $x'$ donne $y'$. C'est pourquoi, si nous découvrons un nombre qui se donne lui-même, nous aurons une combinaison reliée à elle-même, et qui, du coup, ouvre le coffre.

Alors, comment découvrir un tel nombre N ? Une façon consiste à chercher d'abord un nombre H ayant la propriété suivante :

*Quel que soit X donnant Y, le nombre* HX *donne* Y2Y2.

125

En effet, avec un tel H le nombre H2Y2 donne Y2Y2 quel que soit Y, car 2Y2 donne Y. En particulier, quand Y est égal à H, le nombre H2H2 donne H2H2, et nous avons la solution de notre problème ! Mais comment obtenir un tel H ?

Partant d'un nombre Y nous devons arriver à Y2Y2 en effectuant une suite de transformations comme la machine sait les faire. Voici une possibilité : on retourne Y, ce qui donne $\overline{Y}$, on met 2 devant, on a $2\overline{Y}$, on le retourne, et l'on a Y2, on prend son répété et l'on arrive à Y2Y2.

Ces opérations admettant respectivement pour opérateurs 4, 6, 4, 5, il suffit de prendre H = 5464. On peut le vérifier : si X donne Y, montrons que 5464X donne Y2Y2. Puisque X donne Y, 4X donne $\overline{Y}$, d'après M-III, et 64X donne $2\overline{Y}$, d'après M-II, donc 464X donne Y2, d'après M-III, et 5464X donne Y2Y2, d'après M-IV. Ainsi, 5464X donne Y2Y2 quand X donne Y.

Ayant H, nous posons N = H2H2, et par conséquent, le nombre 5464254642 se donne lui-même (le lecteur pourra le vérifier directement).

Nous savons que 5464254642 est le codage d'une combinaison qui ouvre le coffre, et cette combinaison est RVLVQRVLVQ.

Bien sûr, on peut résoudre le problème du coffre directement, sans passer par sa traduction numérique, mais historiquement c'est ainsi qu'a fait Craig et mon compte-rendu se voulait fidèle. Surtout, j'avais l'intention de montrer au lecteur comment deux problèmes portant sur des objets différents peuvent avoir parfois la même structure abstraite. Pour vérifier directement que la combinaison RVLVQRVLVQ est reliée à elle-même, ce qui montre qu'elle ouvre le coffre, nous pouvons raisonner ainsi : QRVLVQ est relié à RVLV, d'après la propriété Q ; par conséquent VQRVLVQ est relié à la retournée de RVLV, d'après la propriété V, c'est-à-dire VLVR ; ensuite LVQRVLVQ est relié à QVLVR, d'après la propriété L, et VLVQRVLVQ est relié à la retournée de QVLVR, qui est RVLVQ. Ainsi, RVLVQRVLVQ est relié au répété de RVLVQ, d'après la propriété R, qui n'est autre que RVLVQRVLVQ, et par conséquent cette combinaison est reliée à elle-même.

# QUATRIEME PARTIE

# SOLUBLE OU INSOLUBLE?

# 14
# La machine logique
# de
# Fergusson

Quelques mois après l'ouverture du coffre monégasque, Craig et McCulloch rendirent visite à Fergusson car ils désiraient connaître enfin ses machines. La conversation dériva rapidement vers la notion de démonstration.

« Je vais vous raconter une anecdocte, commença Fergusson. Pour un examen on demandait de démontrer le Théorème de Pythagore. Quand on lui rendit sa copie un étudiant avait un zéro accompagné du commentaire : *« Ce n'est pas une démonstration ! »* Fort mécontent il vint trouver le professeur et lui dit : « Comment savez-vous que ce que j'ai fait n'est pas une démonstration ? Dans votre cours, vous n'avez jamais dit ce que c'est ! Vous avez donné une définition rigoureuse des triangles, des carrés, des cercles, des droites parallèles, des droites perpendiculaires, et de beaucoup d'autres choses, mais vous n'avez jamais dit de façon précise ce que vous entendiez par *démonstration*. C'est pourquoi j'aimerais savoir d'où vous tirez la certitude qu'il n'y a pas de démonstration dans ma copie. Oui, comment démontrez-vous que ma réponse n'est pas une démonstration ? »

« Ce garçon ira loin, remarqua Craig, mais qu'a répondu le professeur ? »

« Par malheur il n'avait aucun sens de l'humour et il manquait complètement d'imagination. Il arracha la copie des mains de l'élève et ajouta à son commentaire : *Elève insolent et insubordonné* ».

128

« Quel gâchis ! s'écria Craig indigné. A la place du professeur j'aurais décerné toutes mes félicitations à cet élève, car sa remarque ne manquait pas de finesse ! »

« Moi aussi, acquiesça Fergusson, mais vous savez qu'il y a des professeurs incapables d'apprécier l'originalité de leurs élèves, et qui se sentent menacés par toute tentative d'indépendance. »

« Il faut quand même reconnaître, remarqua McCulloch, qu'à la place du professeur, beaucoup de gens, et moi le premier, n'auraient pas su quoi répondre. A part le complimenter sur la pertinence de sa question, je ne vois pas ce que j'aurais pu dire car, entre nous, qu'est-ce qu'une démonstration ? Je sais reconnaître une démonstration correcte, et j'arrive à trouver où est l'erreur dans une démonstration fausse, mais si vous me demandez une définition précise de ce qu'est une démonstration, je serai bien incapable d'en donner une ! »

« Ce que vous décrivez, est la situation de presque tous les mathématiciens, répondit Fergusson. Plus de 99 % d'entre eux peuvent reconnaître une démonstration correcte ou isoler une erreur dans une démonstration fausse, mais ils ne savent pas définir le mot *démonstration*. Un des buts de la Logique est l'analyse de cette notion afin de la rendre aussi rigoureuse que toute autre. »

« Pourquoi est-il si important de formuler une définition, puisque les mathématiciens sont tous d'accord quand il s'agit de dire si une démonstration est juste ou fausse ? » demanda McCulloch.

« Les raisons sont multiples, répondit Fergusson, et même s'il n'y en avait aucune, il serait intéressant de poser une définition rien que pour prouver qu'on peut le faire. Il est souvent arrivé dans l'histoire des Mathématiques que certaines notions de base, comme la continuité par exemple, restent intuitives pendant longtemps, sans qu'on sente le besoin de les définir rigoureusement. Mais une notion qu'on définit dans les formes change de statut, car on peut enfin démontrer des résultats extrêmement difficiles, qui seraient peut-être impossibles si l'on n'avait pas des critères précis permettant de savoir à quelles conditions certaines propriétés intuitives sont vraies. La notion de preuve ne fait pas exception à ce schéma. Il est arrivé qu'une démonstration fasse appel à un nouveau principe, comme *l'axiome du choix* par exemple, et que des controverses s'élèvent pour savoir si l'on a le droit de l'utiliser. Une définition précise de la notion de démonstration permet de repérer avec soin les principes mathématiques qui sont, ou ne sont pas, utilisés.

Mais il y a une situation où l'on est obligé de définir précisément la notion de démonstration ; c'est quand on veut apporter la preuve qu'une certaine assertion ne peut pas être démontrée à partir des axiomes. Ce genre de situation se rencontre en Géométrie avec les constructions à la règle et au compas. Quand on veut démontrer que certaines constructions, comme la trisection de l'angle, la quadrature du cercle, la duplication du cube ne sont pas possibles à la règle et au compas, il faut une caractérisation plus fine de la *constructibilité* à la règle et au compas que celle nécessaire à la démonstration d'un résultat positif, du type : *telle construction est possible à la règle et au compas.* Il en est de même avec la notion de démonstration. Pour apporter la preuve qu'un résultat n'est pas démontrable à partir d'un système d'axiomes, il faut une étude plus fine de la notion de démonstration que pour établir un résultat positif du type : *telle assertion est démontrable à partir de tel système d'axiomes.*

# UN JEU DANS L'ESPRIT DE GÖDEL

Fergusson poursuivit : « une démonstration consiste en une suite finie d'assertions construites à partir d'un système d'axiomes selon des règles très précises. On peut décider d'une façon quasi mécanique si une suite d'assertions constitue ou non une démonstration dans le système d'axiomes ; et on peut même construire une machine qui le dit. Mais c'est une toute autre affaire que d'inventer une machine capable de dire à l'avance quelles sont les assertions démontrables dans un systèmes d'axiomes. Que cela puisse être fait ou non dépend, je suppose, du sytème d'axiomes...

En ce moment je m'intéresse aux démonstrations automatiques, c'est-à-dire aux machines qui démontrent différentes vérités mathématiques. Voici la dernière en date, » fit-il en désignant du doigt un assemblage hétéroclite.

Craig et McCulloch en firent plusieurs fois le tour tout en essayant de comprendre à quoi la machine pouvait bien servir.

« Que fait-elle au juste ? » demanda Craig.

« Elle démontre certaines propriétés des nombres entiers, répondit Fergusson. Je me sers d'un langage qui contient le nom de certains ensembles de nombres (des nombres entiers positifs, plus précisément). La machine peut nommer une infinité de tels ensembles. Par exemple il y a un nom pour l'ensemble des nombres pairs, un pour l'ensemble des nombres impairs, un pour l'ensemble de ceux qui sont divisibles par trois, et plus généralement un pour chacun des ensembles auxquels

130

s'intéressent les théoriciens des nombres. Toutefois, bien qu'il y ait une infinité d'ensembles, il n'y en a pas plus que de nombres entiers positifs, car on peut les numéroter. Plus précisément, à chaque nombre entier positif, $n$, est associé un certain ensemble nommable $A_n$. Nous pouvons donc imaginer tous ces ensembles nommables rangés selon une suite infinie $A_1$, $A_2$, $A_3$, ..., $A_n$, ...Si vous préférez, imaginez un livre fait d'une infinité de pages numérotées 1, 2, 3, etc ; avec sur chacune d'elles la description d'un ensemble de nombres positifs ; alors l'ensemble $A_n$ est celui qui est décrit sur la page portant le numéro $n$, (attention, cela n'interdit pas qu'un ensemble soit décrit plusieurs fois, sur plusieurs pages différentes).

Pour abréger l'écriture, j'emploierai le symbole $\in$ à la place des expressions *appartient à* ou *fait partie de* ; par exemple, j'écrirai $x \in A_y$ pour signifier que le nombre $x$ fait partie de l'ensemble dont le numéro est $y$. Les assertions de la forme $x \in A_y$ sont d'ailleurs les seules que ma machine sache étudier ; en fait, son but est de découvrir quels nombres appartiennent à quels ensembles.

A chaque assertion $x \in A_y$ j'associe un numéro de code obtenu en écrivant $x$ chiffres 1 suivis de $y$ chiffres O (les mêmes $x$ et $y$ que dans l'assertion $x \in A_y$). Par exemple, le numéro de code de l'assertion $3 \in A_2$ est 11 100, celui de $1 \in A_5$ est 100 000. Si $x$ et $y$ sont deux nombres entiers je note $x * y$ le numéro de code de l'assertion $x \in A_y$. Donc, par définition, le nombre $x * y$ est formé de $x$ chiffres 1 suivis de $y$ chiffres 0.

La machine communique ses résultats en imprimant. Elle imprime le nombre $x * y$, c'est-à-dire le numéro de code de l'assertion $x \in A_y$, à chaque fois qu'elle découvre qu'un nombre $x$ appartient à l'ensemble $A_y$.

Quand ce nombre est imprimé, je dis que la machine a *démontré* l'assertion $x \in A_y$. En outre, je dis que l'assertion $x \in A_y$ est démontrable par la machine si celle-ci est capable d'imprimer le nombre $x * y$.

Ma machine est *rigoureuse*, en d'autres termes tout ce qu'elle imprime est vrai».

« Un moment, interrompit Craig, qu'entendez-vous par là ? Quelle différence faites-vous entre *vrai* et *démontrable ?* »

« Ce sont deux notions totalement différentes, répondit Fergusson. Je dis que l'assertion $x \in A_y$ est vraie quand $x$ fait réellement partie de $A_y$. Ce n'est pas la même chose de dire : la machine est capable d'imprimer le nombre $x * y$. Quand elle le peut, je dis que $x \in A_y$ est *démontrable* par la machine. »

« Si j'ai bien compris, fit Craig, en affirmant que la machine est rigoureuse, vous dites simplement qu'elle n'imprime jamais $x * y$ si $x$ n'appartient pas à l'ensemble $A_y$. Est-ce bien cela ? »

« Exactement ! »

« Alors comment savez-vous qu'elle est rigoureuse ? »

« Pour vous l'expliquer, il faudrait entrer dans le détail de son fonctionnement. Elle utilise certains axiomes concernant les nombres entiers
qui sont introduits sous forme d'instructions. Ces axiomes sont uni-
versellement reconnus comme des vérités mathématiques. La machine
ne peut pas démontrer quelque chose qui n'en soit pas la conséquence
logique. Puisque les axiomes sont vrais, et que des conséquences logiques d'assertions vraies sont vraies, la machine ne peut pas démontrer
des assertions fausses. Je peux vous dire ces axiomes si vous le voulez ;
comme cela vous verrez que la machine ne peut prouver que des assertions vraies. »

« Auparavant, interrompit McCulloch, j'aimerais poser encore une
question. Admettons que je vous croie, et que toutes les assertions
démontrables par votre machine soient vraies. Qu'en est-il de la réci-
proque ? Est-ce que toute assertion vraie de la forme $x \in A_y$ est
démontrable par votre machine ? Autrement dit, votre machine peut-
elle démontrer toutes les assertions vraies de la forme $x \in A_y$ ou seulement certaines ? »

« C'est une question capitale, reconnut Fergusson, mais hélas, je
n'en connais pas la réponse ! Vous avez mis le doigt sur le problème
fondamental que je ne sais pas résoudre ! J'ai travaillé sur ce problème
pendant des mois, mais sans jamais arriver à rien. Je sais que la machine
peut démontrer toutes les assertions de la forme $x \in A_y$ qui sont des
conséquences logiques des axiomes, mais je ne sais pas si j'ai introduit
assez d'axiomes. J'ai rassemblé tous ceux que les mathématiciens con-
naissent sur les entiers positifs ; mais il se pourrait qu'ils ne soient pas
suffisants pour démontrer toutes les assertions vraies du type $x \in A_y$.
Jusqu'à présent, les assertions dont j'ai pu établir directement la vérité
par des raisonnements mathématiques se sont toutes révélées être
démontrables par ma machine, mais rien ne prouve qu'un jour je n'en
rencontrerai pas une qui ne l'est pas. Je ne sais donc pas si ma machine
est capable de prouver toutes les assertions vraies ! »

Fergusson expliqua alors à ses deux amis quels axiomes il avait introduit dans sa machine et comment elle procédait pour en tirer des conséquences logiques, ce qui les convainquit qu'elle était rigoureuse, mais
n'apporta pas d'idée nouvelle concernant la question soulevée par

McCulloch : *la machine peut-elle démontrer toutes les assertions vraies ou seulement certaines ?* Ils se rencontrèrent plusieurs fois dans les mois qui suivirent et peu à peu leur réflexion fit des progrès jusqu'à ce qu'ils trouvent enfin la réponse.

Je n'importunerai pas le lecteur par trop de détails, me contentant de rapporter les points les plus importants de la solution, notamment trois propriétés qui à elles seules donnent le résultat. Ce fut, semble-t-il, Craig et McCulloch qui les devinèrent les premiers, mais c'est incontestablement Fergusson qui leur donna une forme définitive. Dans un moment je vous les énoncerai mais avant j'ai encore besoin d'introduire quelques notions.

Si A désigne un ensemble de nombres entiers, je noterai $\overline{A}$ l'ensemble formé des nombres qui ne sont pas dans A, et j'appellerai cet ensemble le *complémentaire* de A. Par exemple, si A est l'ensemble des nombres pairs, $\overline{A}$ est celui des nombres impairs ; si A est l'ensemble des nombres divisibles par 5, $\overline{A}$ est celui des nombres qui ne sont pas divisibles par 5.

Pour tout ensemble A je note A* l'ensemble des nombres $x$ tels que $x * x$ est dans A. Ainsi, dire que $x$ appartient à A* équivaut à dire que $x * x$ appartient à A.

Voici trois propriétés de la machine découvertes par Craig et McCulloch.

*Propriété 1 :* L'ensemble $A_8$ est l'ensemble des nombres que la machine est capable d'imprimer.

*Propriété 2 :* Pour tout nombre $n$, l'ensemble $A_{3.n}$ est le complémentaire de $A_n$ (3.n désigne le résultat de la multiplication de 3 par $n$).

*Propriété 3 :* Pour tout nombre $n$, l'ensemble $A_{3.n+1}$ n'est autre que $A*_n$ (l'ensemble des nombres $x$ tels que $x*x$ appartienne à $A_n$).

# 1

A partir de ces propriétés il est possible d'apporter la preuve que la machine de Fergusson est incapable de démonter toutes les assertions vraies ! Le problème consiste à déterminer une assertion vraie que la machine ne peut pas démontrer. Autrement dit, il faut trouver deux nombre $n$ et $m$, distincts ou égaux, tels que $n$ fasse partie de $A_m$ bien que $n * m$, le numéro de code de l'assertion $n \in A_m$, ne puisse pas être imprimé par la machine.

# 2

Dans la solution du problème 1 vous avez sans doute trouvé des nombres *n* et *m* inférieurs à 100. Il y a une autre solution avec des nombres inférieurs à 100 (une fois encore *m* peut être égal à *n*). Pouvez-vous trouver cette solution ?

# 3

Si l'on ne fait aucune restriction sur la taille de *n* et *m,* combien de solutions y a-t-il ? Autrement dit, combien d'assertions vraies ne sont pas démontrables par la machine de Fergusson ?

# EPILOGUE

Après cette découverte, Fergusson n'abandonna pas l'idée de construire une machine capable de démontrer toutes les propriétés vraies sans jamais en démontrer une fausse. Il y passa beaucoup de temps et fit beaucoup d'essais. Mais à chaque fois qu'une nouvelle machine était en état de marche, lui, ou Craig, ou McCulloch découvrait une assertion vraie que la machine ne pouvait pas démontrer. Devant tant de résultats concordants, il finit par renoncer à l'idée de construire une machine qui soit à la fois rigoureuse et qui démontre toutes les assertions vraies, à partir d'un système d'axiomes.

En fait, l'échec de Fergusson n'est pas dû à un manque d'inspiration. N'oublions pas que cette histoire se passait plusieurs décennies avant les découvertes de Gödel, Tarski, Kleene, Turing, Post, Church, et d'autres grands logiciens dont nous reparlerons. Si Fergusson avait vécu assez vieux pour assister à ces découvertes, il aurait compris que son échec venait de ce qu'il cherchait l'impossible ! Rendons-lui un dernier hommage, ainsi qu'à Craig et McCulloch, et faisons un bond de quarante ans jusqu'à l'année 1931, si importante dans l'histoire de la logique.

# 🌳 SOLUTIONS 🌳

**1**. L'assertion $75 \in A_{75}$ est vraie mais n'est pas démontrable par la machine ; en voici la raison.

Supposons cette assertion fausse. Alors 75 n'appartient pas à $A_{75}$. Il appartient donc à $A_{25}$ car la Propriété 2 affirmme que $A_{25}$ est le complémentaire de $A_{75}$. D'après la Propriété 3, ceci implique que $75*75$ apartient à $A_8$ puisque $25 = 3.8 + 1$ et par conséquent, $75*75$ peut être imprimé par la machine ; en d'autres termes, $75 \in A_{75}$ est démontrable par la machine. Donc, si l'on admet que l'assertion $75 \in A_{75}$ est fausse, la machine peut la démontrer, ce qui contredit le fait qu'elle ne démontre que des assertions vraies. Par conséquent, il est vrai que $75 \in A_{75}$. Comme le nombre 75 appartient à $A_{75}$, il ne peut pas appartenir à son complémentaire, $A_{25}$. Il en résulte que $75*75$ ne peut pas appartenir à $A_8$ sinon, comme $25 = 3.8 + 1$, le nombre 75 appartiendrait à $A_{25}$, d'après la Propriété 3. Or, le fait que $75*75$ n'appartienne pas à $A_8$ signifie que l'assertion $75 \in A_{75}$ n'est pas démontrable par la machine. On a donc un exemple d'assertion qui est à la fois vraie et pas démontrable par la machine.

**2**. Avant de donner d'autres solutions, faisons quelques observations. L'ensemble des nombres $x$ tels que $x \in A_x$ ne soit pas démontrable par la machine, ou ce qui revient au même, l'ensemble des nombres $x$ tels que la machine ne puisse pas imprimer $x*x$, joue un rôle capital, nous le noterons K. Mais cet ensemble n'est autre que $A_{75}$.

En effet, dire que x appartient à $A_{75}$ équivaut à dire que $x$ n'appartient pas à $A_{25}$ ou encore, que $x*x$ n'appartient pas à $A_8$, qui est l'ensemble des nombres que la machine peut imprimer. Mais l'ensemble $A_{73}$ lui aussi est l'ensemble K. En effet, dire que $x$ appartient à $A_{73}$, équivaut à dire que $x*x$ appartient à $A_{24}$, d'après la Propriété 3, puisque $73 = 3.24 + 1$, et ce qui revient à dire que $x*x$ n'appartient pas à $A_8$, d'après la Propriété 2. Ainsi, $A_{73}$ est l'ensemble des nombres $x$ tels que $x*x$ n'appartienne pas à $A_8$, ou, ce qui revient au même, tels que l'assertion $x \in A_x$ n'est pas démontrable par la machine. Nous voyons donc que $A_{73}$ est le même ensemble que $A_{75}$, c'est-à-dire que K. D'une façon plus générale, étant donné un nombre $n$, si $A_n = K$, l'assertion $n \in A_n$ est vraie mais pas démontrable par la machine. Cela se démontre essentiellement comme nous l'avons fait pour $n = 75$ (un argument plus général sera donné dans le prochain chapitre). Ainsi, $73 \in A_{73}$ est un autre exemple d'assertion vraie qui ne peut pas être démontrée.

**3 .** Pour tout $n$, l'ensemble $A_{9.n}$ coïncide avec $A_n$ puisque $A_{9.n}$ est le complémentaire de $A_{3.n}$ et $A_{3.n}$ est le complémentaire de $A_n$. Nous voyons ainsi que $A_{675} = A_{75} = K$ et par conséquent, $675 \in A_{675}$ est une solution. De même, $2715 \in A_{2715}$. D'une façon générale, si le nombre $n$ vaut 75 fois un multiple de 9 ou 73 fois un multiple de 9, l'assertion $n \in A_n$ est vraie mais ne peut pas être démontrée par la machine de Fergusson.

# 15

# Le démontrable
# et
# le vrai

L'année 1931 marque un tournant dans l'histoire de la Logique ; c'est l'année où Kurt Gödel publia le fameux *Théorème d'incomplétude*. Son article, devenu un classique, débutait par ces mots :

« Le développement des Mathématiques vers une plus grande précision a eu pour conséquence la formalisation d'une partie importante de cette science, afin que les démonstrations se réduisent à l'utilisation de quelques règles mécaniques. A ce jour, les systèmes formels les plus généraux sont les *Principia Mathematica* de Whitehead et Russel, et la Théorie Axiomatique des Ensembles de Zermelo-Fraenkel. Ces deux systèmes sont d'une portée si vaste que toutes les méthodes de démonstration utilisées en Mathématiques jusqu'à présent peuvent être formalisées dans chacun d'eux, c'est-à-dire peuvent être réduites à quelques axiomes et quelques règles d'inférence. Par conséquent, on pourrait raisonnablement conjecturer que ces axiomes et ces règles d'inférence suffisent pour décider quelles sont les assertions mathématiques vraies parmi toutes celles qui peuvent être formulées dans le système concerné. Cependant nous allons montrer qu'il n'en est rien, et qu'au contraire, dans les deux systèmes cités, il y a des problèmes assez simples de la théorie des nombres entiers qui ne peuvent pas être résolus en partant des axiomes. »

Dans la suite, Gödel explique que la situation n'est pas particulière aux deux systèmes considérés, mais qu'elle se retrouve dans une grande variété de systèmes mathématiques. Que faut-il entendre par là ? Diverses interprétations ont été données qui ont permis de généraliser le Théorème de Gödel dans plusieurs directions. Assez curieusement, parmi elles, la plus directe et la plus compréhensible du lecteur non spécialisé semble être la moins connue. La chose ne manque pas de piquant, car c'est la direction qu'a indiquée Gödel dans l'introduction de son article original ! Nous allons la suivre à présent.

Considérons un système d'axiomes construit de la façon suivante. D'abord il y a des noms pour les divers ensembles de nombres entiers positifs qui sont étudiés par le système, et ces ensembles nommables sont rangés de façon à former une suite infinie $A_1$, $A_2$, $A_3$, etc., exactement comme pour la machine de Fergusson. Nous dirons que le nombre $n$ est un *indice* de l'ensemble A si les ensembles $A_n$ et A coïncident. Par exemple, si les ensembles $A_2$, $A_7$, et $A_{13}$ sont égaux à un même ensemble, les nombres, 2, 7 et 13 sont des indices de cet ensemble. Comme pour la machine de Fergusson, à chaque couple de nombres $x$ et $y$ est associée une assertion, notée $x \in A_y$, qui est déclarée *vraie* si le nombre $x$ appartient effectivement à l'ensemble $A_y$, *fausse* dans le cas contraire. Nous ne supposons pas que les assertions de ce type sont les seules possibles, il peut y en avoir d'autres, mais toutes sont soit vraies, soit fausses.

A chaque assertion du système est associé un numéro de code, qui sera appelé le *numéro de Gödel* de l'assertion ; nous noterons $x*y$ celui de $x \in A_y$. Il n'est pas nécessaire de supposer que ce nombre est formé de $x$ chiffres 1 suivis de $y$ chiffres 0, comme au chapitre précédent, d'ailleurs ce n'est pas ainsi que Gödel l'a défini, et beaucoup d'autres possibilités conviendraient. En fait, pour le théorème général que nous voulons prouver, il n'est pas utile de supposer quoi que ce soit concernant la façon dont les numéros de Gödel sont définis.

Certaines assertions sont prises comme *axiomes* du système et l'on se donne divers moyens pour démontrer des assertions nouvelles à partir des axiomes. De la sorte, la propriété pour une assertion d'être *démontrable* dans le système est bien définie. On suppose le système *rigoureux*, ce qui signifie que toute assertion démontrable est vraie ; en particulier, à chaque fois qu'une assertion du type $x \in A_y$ est démontrable dans le système, il est vrai que le nombre $x$ appartient à l'ensemble $A_y$.

Nous notons P l'ensemble formé des numéros de Gödel de toutes les assertions démontrables dans le système. Pour tout ensemble de nombres A nous notons $\overline{A}$ le complémentaire de A, c'est-à-dire l'ensemble des nombres qui ne sont pas dans A, et nous appelons A* l'ensemble des nombres $x$ tels que $x*x$ est dans A. Nous nous intéressons plus spécialement aux systèmes qui vérifient les conditions suivantes :

*G1 :* L'ensemble P est nommable dans le système. Autrement dit, il existe au moins un nombre $p$ tels que $A_p$ soit l'ensemble des numéros de Gödel de toutes les assertions démontrables (pour le système de Fergusson ce nombre valait 8).

*G2 :* Le complémentaire de tout ensemble nommable est aussi un ensemble nommable. En d'autres termes, pour tout nombre $x$, il existe un nombre $y$ tel que $A_y$ soit le complémentaire de $A_x$ (pour le système de Fergusson, ce nombre $y$ valait $3.x$).

*G3 :* Si A est un ensemble nommable, l'ensemble A* l'est aussi. Autrement dit, pour tout nombre $x$, il existe un nombre $x^*$ tel que $A_x*$ soit l'ensemble de tous les nombres $n$ pour lesquels $n*n$ appartient à $y$ (dans le système de Fergusson le nombre $x^*$ valait $3.x + 1$).

Les conditions F1, F2, F3 qui caractérisaient la machine de Fergusson sont évidemment des cas particuliers des conditions G1, G2, G3 de Gödel. Ces dernières sont extrêmement importantes car on les retrouve dans une grande variété de systèmes mathématiques, comprenant, entre autres, ceux étudiés dans l'article de Gödel. Il suffit pour cela qu'on puisse ranger les ensembles nommables en une suite infinie $A_1$, $A_2$, $A_3$, etc... et qu'on puisse attribuer aux assertions un numéro de Gödel qui vérifie les conditions G1, G2, G3. Ainsi, les propriétés des systèmes vérifiant les conditions G1, G2, G3 sont communes à de nombreux systèmes importants.

A présent, nous pouvons énoncer et démontrer une forme abstraite du Théorème de Gödel.

*Théorème G : Pour tout système rigoureux vérifiant les conditions* G1, G2, *et* G3, *il existe une assertion vraie qui n'est pas démontrable dans le système.*

La démonstration n'est autre qu'une généralisation de celle qui a été faite pour le système de Fergusson. Nous notons K l'ensemble des nombres $x$ tels que $x*x$ ne soit pas dans P. Puisque, d'après la condition G1, P est un ensemble nommable, son complémentaire aussi, d'après la condition G2, et aussi l'ensemble $\overline{P}*$ d'après G3. Mais $\overline{P}*$ n'est autre que l'ensemble K, car $\overline{P}*$ est l'ensemble des nombres $x$ tels que $x*x$ est dans $\overline{P}$, ou, ce qui revient au même, l'ensemble des $x$ pour lesquels $x*x$ n'appartient pas à P. Il en résulte que l'ensemble K est nommable dans le système, et qu'il existe au moins un nombre $k$ tel que $K = A_k$

(pour le système de Fergusson on pouvait prendre $k = 73$ ou $k = 75$). Ainsi, pour tout nombre $x$, dire que $x \in A_k$ revient à dire que $x*x$ n'est pas dans P, ce qui équivaut au fait que l'assertion $x \in A_x$ n'est pas démontrable dans le système. En particulier, si nous posons $x = k$, l'assertion $k \in A_k$ est vraie si et seulement si elle n'est pas démontrable dans le système ; ce qui veut dire qu'on a deux possibilités : ou bien elle est vraie et pas démontrable dans le système, ou bien elle est fausse et démontrable. Mais, comme le système est rigoureux, la deuxième possibilité est à éliminer, et il existe une assertion vraie qui n'est pas démontrable.

Commentaires : Dans le dernier chapitre de mon livre : « *Quel est le titre de ce livre ?* » j'ai traité une situation analogue. Sur une île vivaient deux sortes d'habitants, les Purs qui disaient toujours la vérité et les Pires qui mentaient toujours. Parmi cette population, certains habitants étaient qualifiés de *reconnus* ; il y avait des Purs reconnus et des Pires reconnus. Par rapport au théorème précédent, les Purs représentent les assertions vraies et les Purs reconnus les assertions démontrées. Aucun habitant de l'île ne peut déclarer : « Je ne suis pas un Pur », car un Pur ne peut pas mentir et un Pire ne peut pas dire la vérité. Cependant il est possible qu'il affirme « Je ne suis pas un Pur reconnu ». Cette déclaration ne conduit pas à une contradiction, tout ce qu'on peut en tirer c'est qu'on a affaire à un Pur qui n'est pas reconnu, car un Pire faisant cette déclaration dit la vérité, ce qui n'est pas possible et un Pur, disant cela, dit la vérité et, par conséquent, il n'est pas reconnu. C'est l'analogue de l'assertion $k \in A_k$, qui affirme l'impossibilité de sa démonstration, et qui est à la fois vraie et non démontrable dans le système.

# LES ASSERTIONS DE GÖDEL
# ET LE THEOREME DE TARSKI

Considérons un système vérifiant les conditions G2 et G3 (la condition G1 n'a pas d'importance pour un moment). Nous avons défini l'ensemble P, formé des numéros de Gödel des assertions démontrables dans le système. A présent nous définissons l'ensemble T ; il est formé des numéros de Gödel de toutes les assertions *vraies* dans le système. En 1933 le logicien Alfred Tarski posa et résolut la question suivante : l'ensemble T est-il nommable ou non dans le système ? A elles seules les conditions G2 et G3 permettent de répondre. La réponse va être donnée brièvement, mais auparavant nous allons aborder une question encore plus fondamentale concernant les systèmes qui vérifient au moins la condition G3.

Etant donnés une assertion X, et un ensemble A quelconques, nous dirons que X est une *assertion de Gödel* pour A si X est vraie et son numéro de Gödel appartient à A, ou si X est fausse et son numéro de Gödel n'appartient pas à A. On peut imaginer l'assertion déclarant que son numéro de Gödel est dans A ; si elle est vraie, il est réellement dans A, et si elle est fausse il n'y est pas. Nous dirons qu'un système est *gödelien* s'il y a au moins une assertion de Gödel pour chaque ensemble nommable. La propriété suivante est capitale.

*Théorème C : Tout système vérifiant la condition G3 est gödelien.*

# 1

Démontrer le Théorème C.

# 2

Comme entraînement, déterminer une assertion de Gödel pour l'ensemble $A_{100}$ du système de Fergusson.

# 3

Considérons un système gödelien (on ne suppose pas nécessairement qu'il vérifie la condition G3). Si le système est rigoureux et s'il vérifie les conditons G1 et G2, contient-il toujours une assertion qui est vraie mais pas démontrable ?

## 4

Soit T l'ensemble des numéros de Gödel des assertions vraies. Possède-t-il une assertion de Gödel ? Même question pour son complémentaire.

A présent nous sommes armés pour répondre à la question de Tarski. Voici une version abstraite de son théorème.

*Théorème T : Quel que soit le système vérifiant les conditions* G2 *et* G3 *l'ensemble* T *formé des numéros de Gödel des assertions vraies n'est pas nommable dans le système.*

Note : Le mot *définissable* remplace parfois nommable, et on rencontre le Théorème T formulé de la façon suivante :

Pour les systèmes suffisamment riches, la vérité à l'intérieur du système n'est pas définissable dans le système.

## 5

Démontrer le Théorème T

## 6

Il est instructif de noter qu'une fois démontré le Théorème T, le Théorème G en découle. Voyez-vous comment ?

# UNE FORME DUALE
# DE L'ARGUMENT DE GÖDEL

Les divers systèmes dont l'incomplétude est démontrée par l'argument de Gödel ont en commun la propriété qu'à toute assertion X est associée une assertion X' appelée la *négation* de X, vraie si et seulement si X est fausse. Une assertion est *réfutable* dans le système si sa néga-

tion est démontrable. Quand le système est rigoureux aucune assertion fausse n'est démontrable et aucune assertion vraie n'est réfutable.
Nous avons vu que les conditions G1, G2, et G3 impliquent l'existence d'une assertion de Gödel G pour l'ensemble $\overline{P}$, et qu'une telle
assertion est vraie sans être démontrable dans le système (à condition
que celui-ci soit rigoureux). Puisque G est vraie elle ne peut pas être
réfutable non plus; c'est pourquoi l'assertion G est qualifiée
d'*indécidable*.

Dans une monographie publiée en 1960, « Theory of Formal
Systems », j'étudiais une forme *duale* de l'argument de Gödel. Au lieu
d'une assertion déclarant qu'elle n'est pas démontrable, pourquoi ne
pas considérer une assertion qui se déclarerait réfutable ? Plus précisément, si R désigne l'ensemble formé des numéros de Gödel des assertions réfutables, et si X est une assertion de Gödel pour R, quel est son
statut ? Nous allons développer cette idée dans le prochain problème.


# 7

Considérons un système rigoureux qui vérifie la condition G3 et, à la
place de G1 et G2, la condition suivante :

G1' : L'ensemble R est nommable dans le système.

Dans un système vérifiant G3 et G1' : (a) Démontrer qu'il existe une
assertion qui n'est ni démontrable ni réfutable. (b) Imaginons que les
ensembles R est $A_{10}$ coïncident, et que pour tout nombre $n$ l'ensemble $A_{5.n}$ soit celui des $x$ tels que $x*x$ appartienne à $A_n$ (ainsi G3 est vérifiée). Le problème consiste à trouver une assertion qui ne soit ni démontrable ni réfutable dans le système et à déterminer si cette assertion est
vraie ou fausse.

*Remarques* : (1) La méthode de Gödel pour obtenir une assertion
non démontrable revient à construire une assertion de Gödel pour
$\overline{P}$, le complémentaire de P ; une telle assertion (qui pourrait affirmer
sa non démontrabilité), doit être vraie mais indémontrable dans le
système. La méthode *duale* revient à construire une assertion de Gödel
pour l'ensemble R plutôt que pour l'ensemble $\overline{P}$ ; une telle
assertion, (qui pourrait affirmer sa réfutabilité), doit être fausse mais
pas réfutable (puisqu'elle est fausse, elle n'est pas démontrable non
plus, elle est donc indécidable). Il faut remarquer que le système consi-

déré dans l'article original de Gödel vérifie les quatre conditions G1, G2, G3 et G1' si bien que n'importe laquelle des deux méthodes peut être utilisée pour construire des assertions indécidables.

(2) De même qu'une assertion qui proclame son indémontrabilité est semblable à l'habitant de l'île des Purs et des Pires qui prétend ne pas être un Pur reconnu, une assertion qui déclare qu'elle est réfutable est comme l'habitant qui prétend être un Pire reconnu ; cet habitant est réellement un Pire, mais il n'est pas reconnu (je laisse la démonstration au lecteur).

## ❧ SOLUTIONS ❧

**1 .** Supposons que le système vérifie la condition G3. Soit S un ensemble quelconque, nommable dans le système. Alors il existe un nombre $b$ tel que $A_b = S^*$. Un nombre $x$ appartient à $S^*$, donc à $A_b$ si et seulement si $x*x$ appartient à S. En particulier, quand on pose $x = b$, le nombre $b$ appartient à $A_b$ si et seulement si $b*b$ appartient à S. Mais $b$ appartient à $A_b$ si et seulement si l'assertion $b \in A_b$, est vraie. Donc $b \in A_b$ est vraie si et seulement si $b*b$ appartient à S. Comme $b*b$ est le numéro de Gödel de l'assertion $b \in A_b$, cette assertion est vraie si et seulement si son numéro de Gödel appartient à S. Or le numéro de Gödel de l'assertion $b \in A_b$ appartient à S si $b$ appartient à $A_b$, sinon il n'appartient pas à S. L'asssertion $b \in A_b$ est donc une assertion de Gödel pour l'ensemble S.

**2 .** Dans le système de Fergusson, l'ensemble $A_{3.n+1}$ n'est autre que $A_n^*$. Par conséquent, $A_{301}$ coïncide avec $A_{100}^*$. Nous pouvons utiliser le résultat du dernier problème en prenant 301 pour valeur de $b$. Ainsi, $301 \in A_{301}$ est une assertion de Gödel pour l'ensemble $A_{100}$. Plus généralement, pour tout nombre $n$, en posant $b = 3.n + 1$, l'assertion $b \in A_b$ est une assertion de Gödel pour $A_n$ dans le système de Fergusson.

**3 .** Oui, il en existe. Supposons que le système est gödelien, que les conditions G1 et G2 sont vérifiées et qu'il est rigoureux. L'ensemble P est nommable d'après G1 de même que $\overline{P}$, d'après G2. Puisque le système est gödelien il existe une assertion de Gödel,

144

X, pour $\overline{P}$. Ceci signifie que X est vraie si et seulement si son numéro de Gödel est dans $\overline{P}$. Mais cela revient à dire que ce nombre n'est pas dans P, autrement dit que X n'est pas démontrable. Donc une assertion de Gödel pour $\overline{P}$ n'est rien d'autre qu'une assertion qui est vraie seulement si elle n'est pas démontrable. Or nous avons vu qu'une telle assertion est automatiquement vraie mais pas démontrable si le système est rigoureux.

En fait, l'idée qui est derrière l'argument de Gödel, c'est la recherche d'une assertion de Gödel pour l'ensemble $\overline{P}$.

**4** . Evidemment toute assertion X est une assertion de Gödel pour l'ensemble T. Si X est vraie son numéro de Gödel est dans T et si elle est fausse il n'y est pas. Il en résulte qu'il ne peut pas y avoir d'assertion de Gödel pour l'ensemble $\overline{T}$ puisqu'une assertion ne peut pas être vraie avec son numéro de Gödel dans $\overline{T}$ ou fausse avec celui-ci hors de $\overline{T}$.

Il est bon d'observer que pour tout ensemble A et toute assertion X, celle-ci peut être une assertion de Gödel de A ou de $\overline{A}$ mais jamais des deux à la fois.

**5** . Considérons d'abord un système qui vérifie la condition G3. D'après le résultat du problème 1, tout ensemble nommable possède une assertion de Gödel dans ce système. D'après les résultats du dernier problème, il n'existe pas d'assertion de Gödel pour l'ensemble $\overline{T}$. Par conséquent, si le système vérifie G3 l'ensemble $\overline{T}$ n'est pas nommable. S'il vérifie en plus la condition G2 l'ensemble T non plus n'est pas nommable, car son complémentaire ne l'est pas. Donc, dans un système vérifiant G2 et G3 l'ensemble T n'est pas nommable.

En conclusion, si G3 est vérifiée, $\overline{T}$ n'est pas nommable, si G2 et G3 sont vérifiées, ni T, ni $\overline{T}$ ne sont nommables.

**6** . On peut déduire le Théorème G du Théorème T de la façon suivante. Supposons que nous ayons un système rigoureux vérifiant G1, G2 et G3. D'après le problème précédent, l'ensemble T n'est pas nommable. D'après G1 l'ensemble P est nommable dans le système. Par conséquent, P est différent de T. Mais tout nombre qui fait partie de P fait aussi partie de T car le système est rigoureux. Il en résulte qu'il existe au moins un nombre de T qui n'est pas dans P. Puisqu'il est dans T, ce nombre est le numéro de Gödel d'une assertion vraie, et puisqu'il n'est pas dans P cette assertion n'est pas démontrable. Il existe donc une assertion qui est vraie sans être démontrable, et le Théorème G est prouvé.

**7** . Les assertions G3 et G1' sont vérifiées.

(a) D'après G1' l'ensemble R est nommable dans le système. Donc, d'après G3 il en est de même de R*, et il existe un nombre $h$ tel que $R^* = A_h$. Mais, par définition de R*, un nombre $x$ est dans cet ensemble si et seulement si $x*x$ est dans R ; donc il est dans $A_h$ si et seulement si $x*x$ est dans R. En particulier si nous posons $x = h$, nous voyons que le nombre $h$ appartient à $A_h$ si et seulement si $h*h$ appartient à R. Mais $h$ appartient à $A_h$ si et seulement si l'assertion $h \in A_h$ est vraie. Comme $h*h$ est son numéro de Gödel, il appartient à R si et seulement si elle est réfutable. Par conséquent cette assertion est vraie si et seulement si elle est réfutable. Ceci signifie qu'elle est soit vraie et réfutable, soit fausse et irréfutable. La première possibilité ne pouvant pas se produire car le système est rigoureux, la seconde est la bonne ; l'assertion est fausse et irréfutable. Mais comme elle est fausse on ne peut pas la démontrer dans le système car il est rigoureux. Ainsi, l'assertion $h \in A_h$ n'est pas réfutable et n'est pas démontrable non plus (en plus elle est fausse).

(b) Comme R coïncide avec $A_{10}$ et que $A_{5.n}$ coïncide avec $A_n{}^*$, les ensemble R* et $A_{50}$ coïncident. D'après la solution de la question (a), en prenant 50 pour $h$, l'assertion $50 \in A_{50}$ n'est ni démontrable, ni réfutable, en plus elle est fausse.

# 16
# Les machines qui parlent d'elles-mêmes

A présent nous allons considérer l'argument de Gödel d'un point de vue légèrement différent qui mettra en lumière une idée fondamentale.

A partir des quatre symboles I, N, A et — on peut former une infinité de combinaisons ; nous les appellerons des *expressions*. Ainsi, I--NA-I et -IN--A-I- sont des expressions. Plus loin nous attribuerons une signification à certaines d'entre elles.

Imaginons une machine construite pour pouvoir imprimer certaines expressions que nous qualifierons *d'imprimables*. Nous supposons que toute expression imprimable sera imprimée tôt ou tard par la machine.

Il a été dit que certaines expressions ont une signification, voici comment on les construit. Etant donnée une expression X, l'expression I-X signifie par définition que X est imprimable par la machiqne (cela peut être vrai ou faux, en tout cas c'est sa signification !) Par exemple l'expression I-ANN affirme que ANN est imprimable. D'autre part, l'expression NI-X affirme que X n'est pas imprimable (le symbole N étant l'initiale de Non et I l'initiale de Imprimable, l'expression NI-X se lit approximativement : « Non Imprimable X », ce qui donne : « X n'est pas imprimable », dans un français plus conventionnel !)

Par définition l'*associée* de X est l'expression X-X, et nous utiliserons le symbole A pour construire des affirmations concernant les associées. Ainsi, par définition, IA-X signifie : « l'associé de X est imprimable ». Pour dire que l'associé de X n'est pas imprimable nous utiliserons l'expression NIA-X.

Vous vous demandez peut-être à quoi servent les tirets. S'il n'y en avait pas, il ne serait pas toujours possible de comprendre la signification des expressions ; par exemple quelle serait celle de IAN ? Que AN est imprimable ? (ce qui correspond à I-AN) ou que l'associée de N est imprimable ? (ce qui correspond à IA-N). Ces deux interprétations étant différentes, il y aurait une ambiguïté sur la signification de IAN, et c'est pour éviter cet inconvénient qu'il est indispensable de mettre des tirets. Encore une remarque à ce sujet. Pour signifier que l'expression -X est imprimable, il faut écrire I--X et surtout pas I-X, qui signifie simplement que X est imprimable. Voici quelques exemples qui illustreront ces remarques. L'expression I-- dit que - est imprimable ; IA-- dit que ---, l'associée de -, est imprimable ; I---- aussi dit que --- est imprimable ; NIA--I-A dit que -I-A--I-A, l'associée de -I-A, n'est pas imprimable ; enfin NI--I-A--I-A dit la même chose.

Toute expression de la forme I-X, NI-X, IA-X, NIA-X s'appellera une *affirmation*. Nous dirons que I-X est *vraie* si X est réellement imprimable par la machine, *fausse* dans le cas contraire. De même nous dirons que NI-X est vraie si X n'est pas imprimable et fausse si X l'est ; nous dirons que IA-X est vraie si l'associée de X est imprimable, fausse sinon, et enfin que NIA-X est vraie si l'associée de X n'est pas imprimable, et fausse dans le cas contraire. Nous avons de cette façon une définition précise de ce qu'est une affirmation vraie et une affirmaion fausse, et nous pouvons écrire :

*Loi 1 :* I-X est vraie si et seulement si X est imprimable par la machine.
*Loi 2 :* IA-X est vraie si et seulement si l'associée de X est imprimable.
*Loi 3 :* NI-X est vraie si et seulement si X n'est pas imprimable.
*Loi 4 :* NIA-X est vraie si et seulement si l'associée de X n'est pas imprimable.

Mais alors nous sommes en présence d'un curieux système qui a l'air de se mordre la queue ! Car notre machine écrit des affirmations concernant les affirmations qu'elle est, ou n'est pas, capable d'écrire ! Dans ce sens on peut dire que la machine nous parle d'elle-même.

En outre nous supposons que notre machine est absolument rigoureuse, c'est-à-dire qu'elle n'imprime que des affirmations vraies. Cela a de nombreuses conséquences. Par exemple, si la machine imprime I-X, cette affirmation est vraie, donc X est imprimable, donc X sera imprimée tôt ou tard. De même, si la machine imprime IA-X, elle imprimera un jour X-X ; et si elle imprime I-X elle n'imprimera jamais NI-X, car ces affirmations ne peuvent pas être vraies toutes les deux.

148

A mon avis le problème suivant est celui qui met le mieux en lumière l'idée de Gödel.

# 1 - Un défi gödélien

Déterminer une affirmation vraie que la machine ne peut pas imprimer !

# 2 - Un double problème gödélien

Toujours avec la même machine, il existe une affirmation X et une affirmation Y telles qu'une des deux est vraie mais pas imprimable, sans qu'il soit possible de dire laquelle. Pouvez-vous retrouver ces deux affirmations ? (Indications : Faites en sorte que X affirme : Y est imprimable, et que Y dise : X ne l'est pas. Il y a deux façons de procéder qui sont liées aux Lois de Fergusson !)

# 3 - Un triple problème gödélien

Construire des affirmations X, Y, et Z sachant que X dit : Y est imprimable, Y dit : Z ne l'est pas, et enfin Z dit : X est imprimable. Ensuite montrer qu'une au moins de ces trois affirmations est vraie, mais pas imprimable par la machine (sans qu'on puisse déterminer laquelle).

# DEUX MACHINES QUI PARLENT D'ELLES-MÊMES ET DE L'AUTRE

A présent nous allons ajouter le symbole J aux quatre symboles I, N, A et —, et nous allons utiliser deux machines M1 et M2. Comme précédemment chacune imprime diverses expressions construites à partir des symboles, mais cette fois I signifie imprimable par la première machine alors que J signifie imprimable par la seconde. Ainsi, I-X veut dire que X est imprimable par M1, et J-X que X est imprimable par M2. De même, IA-X signifie que l'associée de X est imprimable par M1, alors que NJA-X veut dire que l'associée de X ne l'est pas par M2. Nous appelons *affirmation* toute expression du type I-X, J-X, IA-X, JA-X, NI-X, NJ-X, NIA-X, NJA-X, et nous faisons l'hypothèse que la première machine n'imprime que des affirmations vraies alors que la seconde n'imprime que des affirmations fausses. Nous dirons qu'une affirmation est *démontrable* si elle est imprimable par la première machine et qu'elle est *réfutable* si elle est imprimable par la seconde.

# 4

Trouver une affirmation qui est fausse mais pas réfutable.

# 5

On peut trouver deux affirmations X et Y telles qu'une des deux (on ne sait pas laquelle) est vraie mais pas démontrable ou fausse mais pas réfutable, et une fois encore on ne sait pas quelle est la bonne parmi ces deux éventualités. Comme il y a deux solutions, je pose deux problèmes :

(a) Déterminer deux affirmations X et Y sachant que X déclare Y démontrable et Y déclare X réfutable. Ensuite, montrer qu'une des deux affirmations, X ou Y (on ne peut pas dire laquelle) est soit vraie mais pas démontrable, soit fausse mais pas réfutable.

(b) Déterminer deux affirmations X et Y sachant que X déclare Y indémontrable et Y déclare X irréfutable. Ensuite, montrer qu'une des deux (on ne sait pas laquelle) est soit vraie et indémontrable, soit fausse et irréfutable.

# 6

Et si nous résolvions un quadruple problème ! Trouver quatre affirmations X, Y, Z, et W, sachant que X déclare Y démontrable, Y déclare

Z réfutable, Z déclare W réfutable et enfin, W déclare X irréfutable. Montrer qu'une des quatre affirmations est soit vraie mais indémontrable, soit fausse mais irréfutable, mais une fois encore on ne peut pas trouver laquelle !

## LA MACHINE DE McCULLOCH ET LE THEOREME DE GÖDEL

Le lecteur attentif a déjà noté une certaine similitude entre les problèmes précédents et la première machine de McCulloch. Les problèmes suivants expliquent cette similitude.

## 7

Supposons un système mathématique dans lequel certaines assertions sont déclarées *vraies* et certaines sont déclarées *démontrables*. Nous supposons que ce système est rigoureux, c'est-à-dire que toute assertion démontrable est vraie. A chaque nombre entier positif N est associée une assertion qu'on appelle l'*assertion* N. Nous supposons que le système vérifie les conditions suivantes :

Mc 1 : Quand X donne Y dans la première machine de McCulloch, l'assertion 8X est vraie si et seulement si l'assertion Y est démontrable. (Rappelons que 8X signifie un 8 suivi de X et non pas 8 fois X).

Mc2 : Pour tout nombre X, l'assertion 9X est vraie si et seulement si X n'est pas vraie.

Trouver un nombre N pour lequel l'assertion N est vraie mais pas démontrable dans le système.

## 8

En remplaçant dans la condition Mc1 du dernier problème la première machine de McCulloch par la troisième, trouver un nouveau nombre N tel que l'assertion N soit vraie et indémontrable !

# 9 - Paradoxal ?

Revenons au problème 1, mais avec quelques modifications. A la place du symbole I nous utiliserons la lettre C (pour des raisons qui vont apparaître dans un moment). Parmi toutes les expressions qu'il est possible de former avec les symboles C, A, N et -, nous appelons *affirmations* celles qui sont du type C-X, NC-X, CA-X et NCA-X. Comme précédemment ces affirmations sont classées en deux groupes, les vraies et les fausses, mais on ne nous dit pas lesquelles sont vraies et lesquelles sont les fausses. Le changement principal est le remplacement de la machine par un logicien. Celui-ci *croit* à certaines affirmations seulement (d'où la substitution du C de croire au I de imprimable).

Lorsque notre logicien ne croit pas une affirmation, cela ne veut pas dire qu'il la croit fausse, cela signifie simplement qu'il n'a pas d'opinion. Nous avons quatre conditions :

C 1 : C-X est vraie si et seulement si le logicien croit X.

C2  : NC-X est vraie si et seulement si le logicien n'a pas d'opinion sur X.

C3  : CA-X est vraie si et seulement si le logicien croit l'associée de X.

C4  : NCA-X est vraie si et seulement si le logicien n'a pas d'opinion sur X-X.

En supposant le logicien rigoureux, c'est-à-dire qu'il ne croit pas d'affirmation fausse, nous pouvons trouver une affirmation vraie sur laquelle il n'a pas d'opinion, c'est NCA-NCA, (elle dit que le logicien n'a pas d'opinion sur l'associée de NCA qui est justement NCA-NCA !) Mais venons-en au principal. Nous supposons connus les faits suivants :

Fait  1 : Le logicien connaît la Logique aussi bien que vous ou moi ; en particulier, il est capable à partir de prémices données de retrouver toute proposition qui s'en déduit logiquement.

Fait 2 : Le logicien sait que les conditions C1, C2, C3 et C4 sont vérifiées.

Fait 3 ; Le logicien est rigoureux, il ne croit pas d'affirmation fausse.

Alors, puisque le logicien sait que les conditions C1, C2, C3 et C4 sont vérifiées, et qu'il raisonne aussi bien que vous ou moi, rien ne l'empêche de refaire le raisonnement ci-dessus montrant que l'affirmation NCA- NCA est vraie. Une fois ce raisonnement fait, le logicien croit cette affirmation. Mais du moment qu'il la croit, elle devient fausse, puisqu'elle dit que le logicien ne la croit pas ! Tout ceci semble prouver qu'il croit une affirmation fausse, d'où la question : aboutit-on à un paradoxe si l'on admet les faits 1, 2 et 3 ? Rassurez-vous, la réponse est non ; j'ai volontairement introduit une erreur dans mon raisonnement ! Pouvez-vous la retrouver ?

## 🌸 SOLUTIONS 🌸

**1 .** Quelle que soit X, l'affirmation NIA-X dit que l'associée de X n'est pas imprimable. En particulier NIA-NIA dit que l'associée de NIA n'est pas imprimable, or c'est justement NIA-NIA ! Par conséquent NIA-NIA affirme qu'elle n'est pas imprimable. Autrement dit, elle est vraie si et seulement si elle n'est pas imprimable. Donc, ou bien elle est vraie et pas imprimable, ou bien elle est fausse et imprimable. Mais cette dernière éventualité ne peut pas se réaliser car la machine est rigoureuse. Il n'y donc qu'une seule possibilité, l'affirmation est vraie mais pas imprimable par la machine.

**2 .** Posons X = I-NIA-I-NIA et Y = NIA-I-NIA. L'affirmation X qui n'est autre que I-Y dit que Y est imprimable, et Y dit que l'associée de NIA n'est pas imprimable. Comme cette associée est X, Y dit que X n'est pas imprimable. (On aurait pu trouver d'autres X et Y, ce sont X = IA-NI-IA et Y = NI-IA-NI-IA). Ainsi, nous avons deux affirmations X et Y, la première dit que Y est imprimable et la seconde dit que X ne l'est pas.

Supposons que X est imprimable. Alors elle est vraie et Y est imprimable. Du coup Y est vraie et X n'est pas imprimable ; c'est contradictoire, puisque X est à la fois imprimable et pas imprimable. Il en résulte que X ne peut pas être imprimable, et par conséquent Y est vraie. nous avons deux renseignements :

(1) X n'est pas imprimable,
(2) Y est vraie.

De deux choses l'une, ou bien X est vraie ou bien elle ne l'est pas. Si elle est vraie, d'après (1) elle est à la fois vraie et pas imprimable. Au contraire, si elle est fausse, Y n'est pas imprimable, car X dit qu'elle l'est, et dans ce cas Y est à la fois vraie et pas imprimable. En résumé ou bien X, ou bien Y est vraie mais pas imprimable, mais nous ne pouvons pas dire laquelle des deux l'est.

*Discussion :* C'est la situation analogue à celle de deux habitants X et Y d'une île peuplée de Purs et de Pires où X affirmerait que Y est un Pur reconnu alors que Y affirmerait que X n'en est pas un. Tout ce qu'on peut dire c'est qu'un des deux est un Pur qui n'est pas reconnu, mais on ne peut pas dire lequel.

J'ai traité ce genre de situations dans le paragraphe intitulé : « Les îles doublement gödéliennes » du dernier chapitre de mon livre « *Quel est le titre de ce livre ?* »

**3**. Nous posons Z = IA-I-NI-IA, Y = NI-Z, c'est-à-dire NI-IA-I-NI-IA, et X = I-Y, c'est-à-dire I-NI-IA-I-NI-IA. Il est clair que X déclare que Y imprimable et Y déclare que Z ne l'est pas. Quant à Z, elle déclare que l'associée de I-NI-IA, c'est-à-dire X, est imprimable. Ainsi, X déclare que Y est imprimable, Y déclare que Z ne l'est pas, et enfin Z déclare que X est imprimable ; voyons ce qui en résulte.

Supposons d'abord Z imprimable. Alors elle est vraie, et X est imprimable, donc vraie, et Y est imprimable, donc vraie elle aussi, et par conséquent Z n'est pas imprimable. Ainsi, en supposant Z imprimable on aboutit à une contradiction ; il en résulte que Z n'est pas imprimable et Y est vraie. Nous avons deux renseignements :

(1) Z n'est pas imprimable,
(2) Y est vraie.

Mais X est soit vraie, soit fausse. Supposons-la vraie. Si Z est fausse, X n'est pas imprimable, donc est à la fois vraie et pas imprimable. Si Z est vraie, c'est elle qui est à la fois vraie et pas imprimable. Supposons au contraire X fausse. Alors Y est vraie et n'est pas imprimable.

En résumé, si X est vraie, une des affirmations X ou Z est à la fois vraie et pas imprimable ; si X est fausse, c'est Y qui est à la fois vraie et pas imprimable.

**4**. Soit S l'affirmation JA-JA. Elle dit que l'associée de JA, c'est-à-dire elle-même, est réfutable. Donc S est vraie si et seulement si elle est réfutable. Puisqu'elle ne peut pas être à la fois vraie et réfutable, elle est à la fois fausse et irréfutable.

**5**. (a) Posons X = I-JA-I-JA et Y = JA-I-JA. Il est clair que X déclare Y démontrable et Y déclare que l'associé de I-JA, c'est-à-dire X, est réfutable. (Nous aurions eu une autre solution en prenant X = IA-J-IA et Y = J-IA-J-IA).

Si Y était démontrable, elle serait vraie et X serait réfutable, donc fausse, et comme elle affirme que Y est démontrable on aurait une contradiction. Par conséquent, Y n'est pas démontrable et X est fausse. Nous avons donc deux renseignements :

(1) X est fausse,
(2) Y n'est pas démontrable.

Si Y est vraie, elle est à la fois vraie et pas démontrable. Si elle est fausse, X n'est pas réfutable puisque Y affirme le contraire, et X est à la fois fausse et irréfutable. Ainsi, ou bien Y est vraie et indémontrable, ou X est fausse et irréfutable.

(b) Posons X = NI-NJA-NI-NJA et Y = NJA-NI-NJA (on pourrait prendre aussi X = NIA-NJ-NIA et Y = NJ-NIA-NJ-NIA). Le lecteur vérifiera que X déclare Y indémontrable et Y déclare X irréfutable. Si X est réfutable elle est fausse, Y est démontrable, donc vraie et X est irréfutable. Par conséquent X est irréfutable et Y est vraie. Si X est fausse, elle est à la fois fausse et irréfutable ; si X est vraie, Y n'est pas démontrable, donc Y est à la fois vraie et indémontrable.

*Discussion :* Supposons de façon analogue deux habitants X et Y d'une île peuplée de Purs et de Pires ; X déclare que Y est un Pur reconnu et Y déclare que X est un Pire reconnu. Tout ce que nous pouvons en déduire c'est qu'un des deux, on ne sait pas lequel, est un Pur non reconnu ou un Pire non reconnu. La conclusion est la même si X déclare que Y n'est pas un Pur reconnu et Y déclare que X n'est pas un Pire reconnu.

**6 .** Posons W = NIA-I-J-J-NIA, Z = J-W, Y = J-Z et X = I-Y. Avec ce choix, X déclare Y démontrable, Y déclare Z réfutable, Z déclare W réfutable et W déclare X indémontrable.

Si W est réfutable elle est fausse, donc X est démontrable, donc vraie et Z est réfutable, donc fausse et du coup W est irréfutable. Il y a donc une contradiction si l'on suppose W réfutable et par conséquent W est irréfutable et Z est fausse.

Si W est fausse, elle est à la fois fausse et irréfutable. Supposons W vraie. Alors X est indémontrable. Si X est vraie, elle est à la fois vraie et indémontrable. Supposons X fausse. Alors Y est indémontrable ; si elle est vraie, elle est à la fois vraie et indémontrable. Supposons Y fausse, alors Z est irréfutable et elle est à la fois fausse et irréfutable.

En résumé, ou bien W est fausse et irréfutable, ou bien X est vraie et indémontrable, ou bien Y est vraie et indémontrable, ou bien Z est fausse et irréfutable.

**7 .** A condition de changer les notations, c'est le problème 1 de ce chapitre. Nous savons que 32983 donne 9832983 dans la première machine de McCulloch. D'après la condition Mc1, l'assertion 832983 est vraie si et seulement si l'assertion 9832983 est démontrable. D'après la propriété Mc2, l'assertion 9832983 est vraie si et seulement si l'assertion 832983 n'est pas vraie, et en combinant les deux nous voyons que 9832983 est vraie si et seulement si elle est indémontrable. La solution est donc 9832983.

Si nous comparons avec le problème 1 nous voyons que 9 joue le rôle de N, 8 celui de I, 3 celui de A et 2 celui de -. En effet, si nous remplaçons les symboles I, N, A, et -, respectivement par 8, 9, 3 et 2 l'affirmation NIA-NIA qui et la solution du premier problème devient 9832983 !

**8** . D'abord la troisième machine de McCulloch obéit à la Loi de McCulloch : étant donné un nombre A il existe un nombre X qui donne AX. En voici la preuve. Nous savons depuis le chapitre 13 qu'il existe un nombre H (c'est 5464) tel que H2X2 donne X2X2 quel que soit X. Prenons un nombre A quelconque et posons X = H2AH2. Alors X donne AH2AH2 qui n'est autre que AX. Ainsi, pour tout nombre A, le nombre X = 54642A54642 donne AX.

Supposons que X donne 98X. Comme l'assertion 8X est vraie si et seulement si 98X est démontrable (d'après Mc1) on en déduit que l'assertion 98X est vraie si et seulement si elle est indémontrable (d'après Mc2). Il en résulte que l'assertion 98X est vraie mais pas démontrable dans le système, puisque le système est rigoureux.

Quand A = 98 ce qui a été dit précédemment montre que X = 546429854642 donne 98X. Il en résulte que l'assertion 98546429854642 est vraie mais pas démontrable dans le système.

**9** . Je vous ai dit que le logicien est rigoureux mais je ne vous ai jamais dit qu'il le savait ! S'il sait qu'il est rigoureux la situation conduit en effet à un paradoxe ! Ainsi ce qui ressort des faits 1, 2 et 3 c'est que le logicien est rigoureux mais qu'il est dans l'impossibilité d'en avoir la certitude.

Cette situation n'est pas sans rapport avec un autre théorème de Gödel connu sous le nom de *Deuxième Théorème d'incomplétude.* Grossièrement, ce théorème affirme que les systèmes mathématiques dont la structure est assez riche (cela inclut en particulier les systèmes étudiés par Gödel dans son premier article), quand ils sont consistants, ne peuvent pas démontrer leur propre consistance. C'est une question profonde que j'envisage d'aborder dans un livre qui sera la suite de celui-ci.

# 17

# Les nombres immortels

N'ayant pas revu McCulloch et Fergusson depuis longtemps, Craig fut tout étonné de recevoir leur visite. A la joie de se revoir, ils décidèrent de passer la soirée dans le meilleur restaurant de Londres.

« Savez-vous, dit McCulloch à la fin du dîner, qu'un problème m'intrigue depuis quelques temps ? »

« Ah, bon, lequel ? » demanda Fergusson.

« Je l'ai rencontré avec toutes les machines que j'ai construites. Pour chacune d'elles il y a des nombres acceptables et des nombres qui ne le sont pas. Supposez que j'introduise le nombre X et qu'il ressorte Y. Celui-ci est acceptable ou ne l'est pas. S'il ne l'est pas le processus s'arrête, et je ne vais pas plus loin. Sinon j'introduis Y et il ressort un nombre Z. Si Z n'est pas acceptable je m'arrête, sinon je l'introduis à son tour dans la machine. Je continue comme cela jusqu'à ce que je tombe sur un nombre qui n'est pas acceptable. Il y a donc deux possibilités. Ou bien le nombre X est tel qu'après plusieurs opérations le processus s'arrête, parce que je tombe sur un nombre qui n'est pas acceptable, et alors je dis que X est *mortel,* ou bien le processus continue indéfiniment et je dis que X est un nombre *immortel.* Bien sûr tout cela dépend de la machine, un nombre peut être mortel pour une machine et immortel pour une autre. »

« Pour ta machine, interrompit Craig, je vois des quantités de nombres mortels, mais y en a-t-il d'immortels ? »

« Oui, 323 par exemple, puisqu'il de donne lui-même. Si tu l'introduis dans la machine c'est lui qui ressort et tu es ramené au point de départ, le processus n'a donc pas de fin. »

« J'aurais dû y penser ! s'exclama Craig, mais est-ce qu'il y a d'autres nombres immortels ? »

# 1

« On va voir, répondit McCulloch, que pensez-vous du nombre 3223, est-il mortel ou immortel ? »

# 2

« Et 32223, ajouta Fergusson, est-il immortel pour votre première machine ? » McCulloch réfléchit un moment et déclara : « La réponse n'est pas difficile à trouver, et je pense que vous vous amuserez à la chercher. »

# 3

« Essayez donc le nombre 3232, fit McCulloch, est-il mortel ou immortel ? »

# 4

« Et que pensez-vous de 32323 ? » demanda Craig.

# 5

« Toutes ces questions n'étaient que des amuse-gueule, reprit McCulloch, et maintenant il est temps d'attaquer le plat de résistance. Un de mes amis a construit une machine du genre des miennes dont il est très fier. Il prétend que sa machine peut faire tout ce que font les autres, c'est pourquoi il dit qu'elle est *universelle*. Cependant il y a plusieurs nombres dont ni lui ni moi ne pouvons dire s'ils sont immortels ou non. C'est pour quoi je cherche à inventer un test purement mécanique qui permettrait de répondre à cette question ; mais jusqu'à présent je n'ai pas réussi. En fait je cherche un nombre H ayant la propriété suivante : Quand X est acceptable et immortel, HX est mortel, et au contraire, quand X est mortel, HX est immortel. Si je mets la main sur un tel nombre H, je pourrai dire si un nombre donné est mortel ou immortel. »

« Pourquoi ? » interrompit Craig.

« Eh bien, si je connaissais H, je commencerais par construire une réplique de la machine universelle de mon ami ; puis, étant donné un nombre acceptable X, je l'introduirais dans une des deux machines et mon ami introduirait HX dans l'autre. Ainsi le processus s'arrêterait dans une des deux machines, alors qu'il continuerait indéfiniment dans l'autre. Si c'est la machine où l'on a introduit X qui s'arrête, X est mortel, si c'est l'autre, X est immortel. »

« Il me semble inutile de construire une deuxième machine, fit observer Fergusson, car il suffit d'effectuer les opérations sur une seule machine en introduisant alternativement les descendants de X et ceux de HX. »

« C'est vrai, mais de toute façon cette méthode n'a pas d'intérêt tant que je n'ai pas trouvé le nombre H. S'il n'en existe pas, ou si je n'ai pas été assez malin pour le trouver, c'est ce que j'aimerais bien savoir. »

« Le problème m'intéresse, fit Fergusson, mais je voudrais connaître les règles auxquelles obéit cette machine universelle. »

« Il y en a 25, dit McCulloch. Les deux premières sont les mêmes que celles de ma première machine... »

« Vous voulez dire qu'elle obéit aux Règles 1 et 2 ? » interrompit Fergusson.

« Oui, c'est cela. »

« Alors ce n'est pas la peine de chercher plus longtemps, car ce nombre H n'existe pas ! Il n'y a pas de machine obéissant aux Règles 1 et 2 qui puisse résoudre les problèmes de mortalité. »

« Comment pouvez-vous répondre si vite ? » demanda Craig.

« Tout simplement parce que j'ai déjà rencontré ce problème au cours de mes propres recherches. »

Comment Fergusson a-t-il su que les machines obéissant aux Règles 1 et 2 ne peuvent pas résoudre leur propre problème de mortalité ?

# 🌳 SOLUTIONS 🌳

**1**. Rappelons que 3223 donne 23223 qui redonne 3223. Ainsi, les deux nombres 3223 et 23223 sont immortels. Mettez un des deux dans la machine, l'autre ressort, mettez l'autre, le premier ressort. Donc le processus ne s'arrête jamais.

**2**. Si X et Y désignent deux nombres nous dirons que X est un *ancêtre* de Y si X donne Y ou si X donne un nombre qui donne Y, ou si X donne un nombre qui donne un nombre qui donne Y, etc. En d'autres termes, X est un ancêtre de Y, si en partant avec X, on aboutit à Y au bout d'un certain temps. Par exemple 22222278 conduit à 78 au bout de 6 étapes. Plus généralement, si T désigne une succession de 2, le nombre TX est un ancêtre de X.
Le nombre 32223 ne se donne pas lui-même, mais il est un ancêtre de lui-même, car il donne 22322223 qui donne 2322223 et ce dernier donne 32223. Par conséquent, 32223 est immortel car il est son propre ancêtre.
Le lecteur notera qu'en général, si T désigne une succession de 2, le nombre 3T3 est son propre ancêtre.

**3**. La seule façon que je connaisse de résoudre ce problème consiste à prouver que tout nombre de la forme 3T32, où T désigne une succession de 2 est immortel. Il en résulte que 3232 est immortel. Cela illustre un principe général que j'utiliserai à nouveau dans le prochain problème.

Supposons une famille finie ou infinie de nombres telle que tout membre de la famille est ancêtre d'au moins un membre de la famille (lui ou un autre). Alors il est évident que tous les nombres faisant partie de cette famille sont immortels.

Voici comment ce principe s'applique aux nombres de la forme 3T32. Considérons la famille formée de ces nombres (on rappelle que T désigne une succession de 2). Quand on introduit 3232 dans la machine, il ressort 32232 qui est encore un membre de la famille. Puis, 32232 donne 2322232 qui à son tour donne 322232, qui est toujours un membre de la famille. Et 322232 ? Il donne 223222232, qui donne 23222232, qui donne 3222232, et encore une fois nous tombons sur un membre de la famille. Plus généralement, si nous introduisons 32T32, il donne

**4** . Le nombre 32323 donne 3232323, qui donne 32323232323, qui donne 3232323232323232323. Il est facile de deviner la suite ; tout nombre formé d'une succession de 32 suivie d'un 3 donne un nombre de la même forme (et plus long) ; par conséquent ces nombres sont immortels, puisqu'ils forment une famille à laquelle on peut appliquer le principe du problème précédent.

**5** . D'abord une remarque. Si X donne Y, et si X est mortel, Y aussi, puisque le processus démarré avec Y est la fin de celui démarré avec X. De même, si Y est immortel, X aussi, puisque le processus démarré avec X se confond bientôt avec celui issu de Y et qui n'en finit pas. En résumé, si X donne Y, ils sont tous les deux mortels ou immortels.

Alors considérons une machine qui obéit aux Règles 1 et 2 (et à d'autres éventuellement) et un nombre H quelconque. Nous savons qu'il existe Z qui donne HZ (il suffit de prendre Z = H32H3), et puisque Z donne HZ, ces deux nombres sont tous les deux mortels ou immortels, comme nous venons de le voir. Du coup, il n'existe pas de nombre H ayant la propriété que toujours l'un des nombres X ou HX est mortel pendant que l'autre est immortel, car il suffit de prendre X = Z pour obtenir une contradiction. Il en résulte qu'aucune machine obéissant aux Règles 1 et 2 ne peut résoudre son problème de mortalité.

Nous pouvons remarquer qu'il en est de même pour toute machine obéissant aux Règles 1 et 4, et, en fait, pour toute machine vérifiant la Loi de McCulloch. Cette question est liée étroitement au fameux problème de l'arrêt des machines de Turing, dont la solution aussi est négative.

# 18

# La machine qui ne sera jamais construite

Quelques jours après, Craig se reposait dans son salon, quand il entendit frapper timidement.

« Entrez, Madame Hoffman » cria-t-il à sa logeuse.

« Il y a là un Monsieur plutôt énervé qui demande à vous voir, fit-elle, il dit qu'il est envoyé par Monsieur Fergusson et il prétend qu'il est sur le point de faire la plus grande découverte mathématique de tous les temps ! Il dit que ça va prodigieusement vous intéresser et il insiste pour que je le fasse monter. Est-ce que je dois ? »

« Expédiez-le moi, puisqu'il insiste. De toute façon j'ai une heure à perdre. »

« Craig n'avait pas terminé ces mots qu'un homme hagard faisait irruption dans le salon. L'homme jeta sa mallette sur le divan, et commença à arpenter la pièce en gesticulant et en poussant des cris : « Eurêka ! Eurêka ! J'y suis presque ! Je vais devenir le plus grand mathématicien de tous les temps ! Plus grand qu'Euclide, Archimède, Gauss, Newton, Lobatchevski, Bolyai, Riemann... Je vais tous les reléguer au musée ! »

« Je n'en doute pas, approuva Craig d'une voix tranquille, mais de quoi s'agit-il ? »

« Je n'ai pas encore trouvé exactement, fit l'inventeur, car c'était un inventeur, mais j'y suis presque, et quand j'aurai trouvé, je serai le plus grand mathématicien de tous les temps ! Plus grand que Galois, Cauchy, Dirichlet, Cantor... »

« Ça je l'ai compris ! interrompit Craig, je vous demande simplement ce que vous essayez de trouver. »

« J'essaye de trouver ? fit l'inventeur d'un air vexé, mais Monsieur, je n'en suis plus à essayer, puisque j'ai presque trouvé ! C'est une machine universelle qui peut résoudre tous les problèmes de mathématiques, oui, tous ! Avec cette machine je serai omniscient ! Je pourrai... »

« Je vois, coupa Craig. Vous aussi, vous avez fait le vieux rêve de Leibniz ! Je crains, hélas, qu'il ne soit irréalisable. »

« Leibniz ! s'écria l'inventeur d'un ton dédaigneux, il ne savait pas comment mettre ses idées en pratique, mais moi, j'ai construit une machine qui marche presque. Il ne reste plus que quelques détails à mettre au point, d'ailleurs je vais tout vous expliquer. Je désire construire une machine possédant certaines propriétés. On introduira un nombre $x$, puis un nombre $y$, et il ressortira un nombre que je vais appeler $M(x,y)$. »

« Jusque là je vous suis » fit Craig.

« Vous remarquerez, dit Walton, (il s'appelait Walton), que j'utilise le mot nombre, uniquement pour désigner les nombres entiers positifs, car ce sont les seuls dont on ait besoin. Comme vous le savez, on dit que deux nombres ont la même parité s'ils sont tous les deux pairs ou tous les deux impairs ; dans le cas contraire on dit qu'ils sont de parité différente. Pour tous nombre $x$, j'écrirais $x^*$ afin de désigner $M(x,x)$.

Voici les trois propriétés que ma machine devra posséder.

*Propriété 1 :* A tout nombre $a$, je désire qu'il soit associé un nombre $b$ tel que $M(x,b)$ et $M(x^*,a)$ aient la même parité quel que soit $x$.

*Propriété 2 :* A tout nombre $b$, je désire qu'il soit associé un nombre $a$ tel que les nombres $M(x,a)$ et $M(x,b)$ soient de parité différente, quel que soit $x$.

*Propriété 3 :* Je désire qu'il existe un nombre $h$ tel que $M(x,h)$ ait la même parité que $x$, quel que soit $x$.

Voilà, je vous ai tout dit. »

Craig resta pensif un long moment. A la fin il demanda : « Alors quel est votre problème ? »

J'ai construit une première machine qui possédait les Propriétés 1 et 2, puis une autre qui possédait les Propriétés 2 et 3. Elles marchaient à la perfection, si vous ne voulez pas me croire, j'ai les plans dans ma mallette. Mais quand j'ai voulu les assembler pour n'en faire qu'une seule, quelque chose s'est coincé ! »

« Qu'est-ce qui n'allait pas ? » demanda Craig.

« Tout ! s'écria Walton avec un air de désespoir. Ça n'a pas marché ; j'ai introduit deux nombres $x$ et $y$ et j'ai attendu que $M(x,y)$ sorte, mais il n'est pas sorti ; en plus la machine a fait un bruit affreux et s'est mise à fumer. Avez-vous une idée de ce qu'elle peut bien avoir ? »

« Malheureusement je ne peux pas m'occuper de vos ennuis maintenant, dit Craig, car je dois partir travailler, mais si vous me laissez votre carte, je promets de vous avertir dès que j'aurai trouvé quelque chose. »

Une semaine ne s'était pas écoulée que l'inspecteur envoyait la lettre suivante :

*Cher Monsieur Walton,*

*Je vous remercie de votre visite et votre projet de machine m'a beaucoup intéressé. A dire vrai, je n'ai pas encore compris pourquoi elle vous permettrait de résoudre tous les problèmes de mathématiques, mais vous devez en savoir plus long que moi sur ce sujet. Je dois quand même vous mettre en garde ; vos recherches ont ceci de commun avec la poursuite du mouvement perpétuel qu'une telle machine est impossible à réaliser ! La situation est même pire encore, car une machine donnant le mouvement perpétuel, bien que physiquement impossible n'est pas logiquement impossible, alors que votre machine est les deux à la fois ; je suis au regret de dire que vos trois propriétés cachent une contradiction logique que vous n'avez pas vue.*

et la lettre de Craig se poursuivait par une démonstraton de cette contradiction. Pouvez-vous la mettre en évidence ? Le problème est plus facile si on le découpe en trois questions :

(1) Si une machine vérifie la propriété 1, démontrer qu'associé a tout nombre $a$, il existe au moins un nombre $x$ tel que $M(x,a)$ et $x$ aient la même parité.

(2) Si une machine vérifie les propriétés 1 et 2, démontrer qu'associé à tout nombre $b$ il existe un nombre $x$ tel que $M(x,b)$ et $x$ n'aient pas la même parité.

(3) Aucune machine ne peut vérifier à la fois les propriétés 1, 2 et 3.

# ❧ SOLUTIONS ❧

(1) Considérons une machine qui vérifie la propriété 1 et un nombre $a$. Il existe un nombre $b$ tel que pour tout $x$ les nombres $M(x,b)$ et $M(x^*,a)$ aient même parité quel que soit $x$. En particulier, si l'on prend $x = b$, le nombre $M(b,b)$ a même parité que $M(b^*,a)$. Or $M(b,b)$ n'est autre que $b^*$ donc $b^*$ a même parité que $M(b^*, a)$. Ainsi, il suffit de poser $x = b^*$ pour que $M(x, a)$ ait même parité que $x$.

(2) Considérons une machine vérifiant les propriétés 1 et 2 et un nombre $b$. D'après la propriété 2, il existe un nombre $a$ tel que $M(x,a)$ et $M(x,b)$ soient de parité différente quel que soit $x$. D'après la propriété 1, il existe au moins un nombre $x$ tel que $M(x,a)$ ait la même parité que $x$, nous l'avons prouvé dans la question (1). Un tel nombre $x$ a une parité différente de celle de $M(x,b)$ car il a la même parité que $M(x,a)$ qui a une parité différente de celle de $M(x,b)$.

(3) Considérons une machine ayant les propriétés 1, 2 et 3. Le résultat de la question (2), écrit avec $h$ à la place de $b$, montre qu'il existe au moins un $x$ tel que $M(x,h)$ n'ait pas la parité de $x$. Comme les nombres $M(x,h)$ et $x$ devraient avoir la même parité, il y a une contradiction. En d'autres termes la propriété 3 ne peut pas être vérifiée si 1 et 2 le sont ; c'est pourquoi les propriétés 1, 2 et 3 sont incompatibles.

*Note :* L'impossibilité de la machine de Walton est étroitement liée au Théorème de Tarski (chapitre 15) et il est facile de trouver un argument commun pour les deux résultats.

# 19

# Le rêve

# de

# Leibniz

Nos deux inventeurs, Fergusson et Walton cherchaient à réaliser un rêve cher à Leibniz : construire une machine capable de résoudre tous les problèmes de mathématiques et toutes les questions de philosophie ! La Philosophie était de trop car ce rêve n'est déjà pas réalisable pour les problèmes mathématiques. Cette constatation résulte des travaux de Gödel, Rosser, Church, Kleene, Turing et Post dont nous allons dire un mot.

Il existe des machines à calculer qui ont pour but d'effectuer une opération sur les entiers positifs. Dans une telle machine vous introduisez un nombre $x$ et il ressort un nombe $y$ ; $x$ est la donnée et $y$ le résultat. Vous pouvez par exemple inventer une machine (pas très intéressante, il faut bien le dire) où $x+1$ ressort quand on introduit $x$. On dira que cette machine effectue l'addition de 1. D'autres machines effectuent une opération portant sur deux nombres, une addition par exemple. Dans une telle machine vous introduisez un premier nombre $x$, puis un nombre $y$, ce sont les données. Ensuite vous la mettez en marche et il ressort le nombre $x+y$. (Il existe un nom technique pour ces machines, je crois qu'on les appelle les additionneurs !)

Mais il existe aussi un tout autre type de machines appelées *générateurs de nombres* ou encore *machines énumératrices*. Elles jouent un rôle fondamental dans l'approche que nous allons suivre et qui s'inspire de la théorie de Post. Dans une telle machine on n'entre pas de donnée. Elle est programmée pour engendrer un ensemble de nombres entiers positifs. Par exemple il peut s'agir d'une machine qui engendre les nombres pairs, ou les nombres impairs, ou les nombres pre-

166

miers. Pour engendrer les nombres pairs on peut imaginer le programme suivant qui se compose de deux instructions :
(1) Imprimer le nombre 2.
(2) Si n est imprimé, imprimer le nombre n + 2.
A cela il faut ajouter quelques règles obligeant la machine à progresser dans ses calculs de sorte que tout ce qu'elle peut faire soit fait. Puisqu'elle obéit à l'instruction (1), la machine imprimera tôt ou tard le nombre 2, et comme elle obéit à l'instruction (2) elle imprimera tôt ou tard le nombre 4, le nombre 6, etc. Ainsi cette machine va engendrer peu à peu l'ensemble des nombres pairs. Sans instruction supplémentaire, elle n'imprimera jamais 1, 3, 5 ou tout autre nombre impair. Pour obtenir une machine qui engendre les nombres impairs il suffit, bien sûr, de remplacer la première instruction par : Imprimer 1.

Il arrive que plusieurs machines soient associées et que les résultats de l'une soient utilisés par les autres. Par exemple on peut imaginer deux machines A et B programmées de la façon suivante. A la machine A on donne les instructions :

(1) Imprimer 1.
(2) Si la machine B a imprimé n, imprimer n + 1.
et à la machine B :
(1) Si la machine A a imprimé n, imprimer n + 1.

Quel est alors l'ensemble de nombres engendré par A et quel est celui engendré par B ? On voit facilement que A engendre les nombres impairs et B les nombres pairs.

A présent nous associons à chaque générateur de nombres un numéro de code ; c'est un nombre entier positif, et nous supposons que tout nombre entier correspond à un générateur de nombres. Nous notons $M_n$ le générateur dont le numéro de code est $n$ et nous rangeons les générateurs de nombres en une suite infinie $M_1$, $M_2$, $M_3$, ...

Si A désigne un ensemble de nombres et M un générateur, nous dirons que M *engendre* A, ou que M *énumère* A si tous les nombres appartenant à A sont imprimés par M et s'il n'imprime aucun nombre ne faisant pas partie de A. Nous dirons que l'ensemble A est *effectivement énumérable* (les spécialistes disent *récursivement énumérable*) s'il existe au moins un générateur de nombres qui énumère A. Nous dirons que A est *résoluble* (le terme technique est *récursif*) s'il existe une machine qui énumère A et une autre qui énumère son complémentaire, c'est-à-dire l'ensemble des nombres entiers positifs qui ne sont pas dans A. Ainsi A est résoluble si son complémentaire et lui sont effectivement énumérables.

Supposons que A est résoluble, que le générateur $M_a$ énumère A et que $M_b$ énumère $\overline{A}$. Alors nous avons une méthode effective pour déterminer si un nombre $n$ fait partie de A ou de $\overline{A}$. Nous l'introduisons simultanément dans $M_a$ et $M_b$. S'il appartient à A, tôt ou tard le générateur $M_a$ l'imprimera ; au contraire, s'il appartient à $\overline{A}$, c'est $M_b$ qui l'imprimera. Il suffit donc d'attendre pour savoir auquel des deux ensembles A ou $\overline{A}$ appartient $n$. Bien sûr, nous ne savons pas à l'avance combien de temps il faudra attendre, tout ce que nous savons de façon certaine c'est que le nombre n sera imprimé un jour.

Imaginons maintenant l'ensemble A effectivement énumérable mais pas résoluble. Cela signifie qu'une machine M engendre A, mais qu'il n'existe pas de machine engendrant $\overline{A}$. Afin de savoir si un nombre $n$ donné appartient à A nous pouvons l'introduire dans le générateur M mais pour avoir une réponse il faut de la patience ou de la chance ! En effet, si $n$ appartient à A il sera imprimé tôt ou tard par la machine, il suffit d'attendre. Au contraire, si $n$ n'appartient pas à A nous ne le verrons pas ressortir, mais aussi longtemps que nous attendrons nous n'aurons pas la certitude qu'il ne sera jamais imprimé. Ainsi, si $n$ est dans A nous saurons tôt ou tard qu'il y est, mais s'il ne fait pas partie de A nous n'en aurons jamais la certitude par ce procédé. C'est la raison pour laquelle on qualifie A de *semirésoluble*.

La première propriété importante de ces machines est qu'il est possible de construire une machine universelle U dont la fonction est d'observer systématiquement le comportement de tous les générateurs $M_1$, $M_2$, $M_3$, etc. A chaque fois qu'une machine $M_x$ imprime un nombre $y$ la machine universelle U le signale en imprimant le nombre $x*y$ formé de $x$ chiffres 1 suivis de $y$ chiffres O. Donc l'instruction principale de U est : Si la machine $M_x$ imprime $y$, imprimer $x*y$.

Supposons par exemple que $M_a$ soit programmée pour engendrer les nombres impairs et $M_b$ pour engendrer les nombres pairs ; alors U va imprimer $a*1$, $a*3$, $a*5$, etc., ainsi que $b*2$, $b*4$, $b*6$ etc., mais elle n'imprimera jamais $a*4$ ou $b*3$ car $M_a$ n'imprimera pas 4 et $M_b$ n'imprimera pas 3.

Comme la machine U imprime des nombres en obéissant à un programme, c'est donc l'une des machines $M_1$, $M_2$, $M_3$, ... Autrement dit, il existe un nombre $k$ tel que U soit $M_k$! (Si j'entrais davantage dans les détails techniques je pourrais dire combien vaut $k$.)

Nous devons remarquer que la machine universelle $M_k$ observe et rend compte de son propre comportement ainsi que de celui de toutes les autres machines. C'est pourquoi, à chaque fois que $M_k$ imprime un nombre $n$ elle imprime $k*n$, et aussi $k*(k*n)$ ou $k*(k*(k*n))$ etc.

La deuxième propriété importante de ces machines est qu'on peut associer à chaque machine $M_a$ une machine $M_b$ qui imprime $x$ si et seulement si $M_a$ imprime $x*x$. On peut même organiser le numérotage des machines de sorte que $b = 2a$. Nous supposerons que tel est le cas, ce qui permet d'énoncer les deux propriétés importantes qui vont nous servir par la suite :

*Fait 1 :* La machine universelle U imprime tous les nombres de la forme $x*y$ tels que $M_x$ imprime $y$, et seulement ceux-là.

*Fait 2 :* Pour tout nombre $a$, la machine $M_{2a}$ imprime les nombres $x$ tels que $M_a$ imprime $x*x$.

Nous en arrivons au point crucial. Tout problème mathématique peut être traduit par une question du type :

*La machine $M_a$ peut-elle imprimer le nombre $b$ ?*

Plus précisément, étant donné n'importe quel système formel d'axiomes on peut associer des nombres de Gödel à toutes les assertions du système et trouver un nombre $a$ tel que la machine $M_a$ imprime les nombres de Gödel des assertions démontrables et rien d'autre. Ainsi, pour trouver si une assertion donnée est ou n'est pas démontrable dans le système, il suffit de prendre son nombre de Gödel $b$ et de déterminer si la machine $M_a$ peut ou ne peut pas imprimer $b$. C'est pourquoi, si nous avions une méthode effective permettant de décider quelles machines impriment quels nombres, nous pourrions effectivement décider quelles assertions sont démontrables dans un système donné d'axiomes. Ce serait la réalisation du rêve de Leibniz. Mais la question de savoir quelles machines impriment quels nombres peut être ramenée à la détermination des nombres imprimés par la machine universelle U, car savoir si la machine $M_a$ imprime $b$ revient à savoir si U imprime le nombre $a*b$. Par conséquent, une connaissance complète de U entraînerait une connaissance complète de toutes les machines, et par conséquent de tous les systèmes d'axiomes.

Réciproquement, demander si une machine donnée peut imprimer un nombre donné, revient à demander si une certaine assertion est démontrable dans un certain système mathématique, de sorte qu'une connaissance complète de tous les systèmes formels mathématiques impliquerait une connaissance complète de la machine universelle.

Voici la question fondamentale : Soit V l'ensemble des nombres imprimés par la machine universelle U (on le qualifie parfois d'*ensemble universel*) ; est-il résoluble ? Si c'est le cas, le rêve de Leibniz est réalisé ; sinon il est irréalisable. Puisque V est effectivement énumérable (il est engendré par la machine U), la question se ramène à savoir s'il existe ou s'il n'existe pas de machine $M_a$ qui engendre le complémentaire $\overline{V}$ de V, c'est-à-dire qui imprime les nombres que U n'imprime pas, et ceux-là seulement. On peut résoudre complètement cette question en n'utilisant que les faits 1 et 2.

*Théorème L : L'ensemble $\overline{V}$ n'est pas effectivement énumérable.*

Autrement dit, étant donnée une machine $M_a$, ou bien il existe un nombre dans $\overline{V}$ que $M_a$ ne peut pas imprimer, ou $M_a$ imprime au moins un nombre de V.

Voyez-vous comment démontrer ce théorème ? Pour orienter les recherches, imaginons qu'on suppose l'ensemble $\overline{V}$ engendré par la machine $M_5$. Pour démontrer que c'est faux il suffit de trouver un nombre *n* pour lequel on puisse prouver que *n* est dans $\overline{V}$, mais que $M_5$ ne l'imprime pas, ou que *n* est dans V et que $M_5$ l'imprime. Voyez-vous quel est ce nombre *n* ?

Je vais vous donner la solution tout de suite, sans attendre la fin du chapitre. C'est une fois encore l'argument de Gödel. Prenons un nombre *a*. D'après le Fait 2, quel que soit *x*, $M_a$ imprime *x*∗*x* si et seulement si $M_{2a}$ imprime *x*. Mais d'après le Fait 1, $M_{2a}$ imprime *x* si et seulement si la machine universelle U imprime 2*a*∗*x*, ou, ce qui revient au même, si et seulement si 2*a*∗*x* fait partie de l'ensemble V. Donc $M_a$ imprime *x*∗*x* si et seulement si 2*a*∗*x* est dans V. En particulier, quand *x* = 2*a*, $M_a$ imprime le nombre 2*a*∗2*a* si et seulement si 2*a*∗2*a* est dans V. Il y a deux éventualités ; (1) $M_a$ imprime 2*a*∗2*a* et alors 2*a*∗2*a* est dans V ; (2) M n'imprime pas 2*a*∗2*a* et 2*a*∗2*a* est dans $\overline{V}$. Si la première est la bonne, $M_a$ n'engendre pas $\overline{V}$ puisqu'il imprime un nombre qui n'en fait pas partie. Si c'est la deuxième, $M_a$ n'engendre pas non plus $\overline{V}$ puisqu'il n'imprime pas un certain nombre qui en fait partie. On a donc la certitude que $M_a$ n'engendre pas $\overline{V}$. Puisqu'aucune machine n'engendre $\overline{V}$, cet ensemble n'est pas effectivement énumérable. Dans le cas *a* = 5, le nombre *n* est 10∗10.

Quelles sont les conséquences de tout ceci pour le rêve de Leibniz ? D'un point de vue strict on ne peut pas démontrer ou réfuter la possibilité de réaliser ce rêve, car il n'a jamais été énoncé de façon formelle. En effet, les notions de machine à calculer et de machine génératrice de nombre étaient floues du temps de Leibniz, (c'est une invention de notre siècle). On les a définies de plusieurs façons (Gödel, Herbrand,

Kleene, Church, Turing, Post, Smullyan, Markov et bien d'autres), mais toutes les définitions sont équivalentes. Si la notion de *résoluble* est prise au sens de ces définitions, le rêve de Leibniz est irréalisable, car les machines peuvent être numérotées de façon à vérifier les Faits 1 et 2, et d'après le Théorème L, l'ensemble V engendré par la machine universelle n'est pas résoluble ; il n'est que semirésoluble. Par conséquent, il n'existe pas de moyen *mécanique* permettant de trouver quelles assertions sont démontrables dans tel système d'axiomes et quelles assertions ne le sont pas. C'est pourquoi toute tentative pour inventer un mécanisme astucieux qui résolve tous les problèmes de mathématiques est vouée à l'échec.

Comme l'a déclaré de façon prophétique le logicien Emil Post en 1944, cela signifie que la pensée mathématique est et restera essentiellement créative. Ou encore, comme le faisait remarquer avec esprit le mathématicien Paul Rosenbloom, cela signifie que l'homme ne parviendra jamais à se dispenser de son intelligence, quelle que soit l'intelligence qu'il déploiera pour y parvenir.

# Prenez garde!

Dangereux récidiviste, Raymond Smullyan a déjà publié, aux Éditions Dunod, deux autres livres visant à la déstabilisation des esprits.

Pour lire «**Mystères sur échiquier avec Sherlock Holmes**» il n'est pas utile d'être un bon joueur d'échecs (et pourtant les champions seront déroutés !), à peine suffit-il de connaître la marche des pièces. Mais votre sens logique sera progressivement mis à bien rude épreuve !

Sherlock Holmes mène 50 véritables enquêtes policières dont les pièces sont les personnages. Peu lui importe qui va gagner. Il traque le passé pour savoir comment les pièces en sont arrivées là : les blancs ont-ils roqué ? Quelle est la pièce dérobée par un enfant et remplacée par une pièce d'un shilling ? Sur quelle case la dame blanche a-t-elle été capturée ?

Cinquante problèmes menés avec verve dans une atmosphère très londonienne et qui captiveront tous les amateurs de jeux logiques.

Quant à «**Quel est le titre de ce livre ?**», il est dans la ligne exacte du «Livre qui rend fou».

Ses 253 casse-tête évoluent dans des univers où le bizarre et la logique font de curieuses synthèses et sont agrémentés d'anecdotes cocasses et de paradoxes déroutants.

**Deux livres à ne pas mettre entre toutes les mains...**

043202-(XII)-(5)-OSB 100°-RET-MNL

STEDI MEDIA, 1, boulevard Ney, 75018 Paris
Dépôt légal, Imprimeur, n° 9097
Dépôt légal : avril 2007, suite du tirage
*Imprimé en France*
Dépôt légal de la 1ʳᵉ édition : 4ᵉ trimestre 1984